TROU DE MÉMOIRE

DU MÊME AUTEUR

Le Soleil ni la mort, roman (Denoël, coll. Lettres nouvelles, 1975).

Le Rêve du scribe, roman (Denoël, coll. Lettres nouvelles, 1976).

Une histoire qui ne finira jamais, roman (Flammarion, coll. Textes, 1978).

Les langues de terre, roman (Flammarion, coll. Textes, 1980).

L'homme suivi, roman (Flammarion, 1982).

Le voyage inachevé, récits (Flammarion, 1983).

Francis Ponge, essai (Henri Veyrier, 1983).

Une femme de si près tenue, roman (Flammarion, 1985).

Michel Tournier, essai (Henri Veyrier, 1986).

Préface à : *Claude Roy un poète*, (Gallimard, Folio junior, 1986).

La condition du passager, roman (Flammarion, 1987).

L'amour voyageur, roman (Seghers, 1990).

de **SERGE KOSTER**

et Geneviève
à Ellen
pour la remercier
de son accueil,
qui nous est allé droit
au
cœur.

TROU DE MÉMOIRE

Amitié
S/G
K.

CRITERI&N

11, rue Duguay-Trouin 75006 Paris.

A Geneviève

A Delphine

« *Nous n'avons pas d'arbre généalogique.* »
Henri Raczymow, *La mémoire trouée.*

« *La mémoire aime à chasser dans le noir...* »
Ossip Mandelstam, *Le bruit du temps.*

PREMIÈRE PARTIE

Le suis-je ?

(1940-1952)

MA mère n'avait pas de maison, j'en fus vingt ans exclu et mendiai l'amour ailleurs.

Après une nuit de train et de larmes, j'arrivai à Toulouse avec la sensation de ma mère absente ; tout au long du voyage elle n'avait cessé de se retirer, sans finir jamais de disparaître entièrement. Parmi les rêves qui m'ont longtemps assiégé, il y a celui où je pleure toutes les larmes de mon corps. Un autre est celui où me serre l'angoisse de l'entrée des Allemands. Et pourtant, né en août 1940 à l'Hôtel-Dieu, en face de Notre-Dame-de-Paris, je n'ai pas un seul souvenir conscient de leur présence visible ou embusquée. De ma mère, qui m'a affectueusement tordu l'esprit, l'intrusion dans mon sommeil demeure rare : ne persiste que ce cauchemar survenu quelques semaines après sa mort en août 1977. Je dors, une ombre vieille qui a son apparence surgit des ténèbres, s'approche et pèse sur ma poitrine jusqu'à ce que, suffocant, je calme contre la gorge de ma femme la panique de mon souffle.

La dame qui nous prit en charge sur le quai de la gare était-elle la même qui nous avait convoyés ? De comité pour accueillir ces vraiment anonymes personnalités à peine désengourdies de la nuit blanche, nulle trace sur ma rétine. Il y avait avec moi mon jeune frère Alexis et un autre garçon, Michel R., dont je ne garde qu'une image désolée, quand, au matin, pendant des mois, il ne parvenait pas à cacher l'odeur et les taches de ses incontinences. Alors il subissait, devant nous tous, ces châtiments corporels qui nous humiliaient si fort, tant nous redoutions d'en être un jour les victimes. Les rougeurs de ses fesses, c'était comme un acide qui nous rongeait l'âme. A qui le tour demain matin? Aucun d'entre nous, issus du trou de la guerre, ne pouvait se prévaloir d'une enfance heureuse. Sinon, nous aurions été ailleurs. Et même, d'enfance, sans mentir, qui aurait parié que pour nous cela existât? Mais nous étions bel et bien en vie : béni soit le Nom de l'auteur du sauvetage ! Ce n'est que quarante ans plus tard que j'apprécierai ma chance, en entendant Serge Klarsfeld donner lecture d'une liste de noms : ceux des enfants d'Izieu, qui n'en sont pas revenus. Mon frère et moi, nous n'y étions Dieu merci pas allés. Les bas-fonds de Toulouse, s'il en est, aucun risque qu'ils présentent quelque analogie avec *Anus Mundi*. Restent les gares, dont les trains prennent parfois de bizarres directions. Mais enfin il n'était plus temps, et nous, nous arrivions, comme en un havre ; les fessées pour incontinence nocturne n'ont jamais tué personne.

De quelle époque date cette migration de quelque sept cents kilomètres — autant dire une escapade si l'on compare avec le parcours de mes parents durant les années trente, Pologne — Palestine — France ? La chronologie de mon existence en ses débuts est si floue qu'il ne me faut pas compter sur le secours de ma mémoire pour mettre de l'ordre dans cette histoire, mais sur le recours à des archives dont d'autres doivent être les détenteurs. Tout se passe comme si, environ quarante ans après ce précoce écart géographique, des étrangers se substituaient encore à ceux qui, m'ayant mis au monde, ne purent me faire vivre dans leur lieu ; et aujourd'hui où je désirerais les questionner, l'expression leur est interdite, ils ne sont plus là pour me rendre propriétaire de mon passé ; le leur m'est terre inconnue.

Mon père est mort, avec sa deuxième épouse, sur la route de Saint-Raphaël à Toulouse, où mon unique frère germain résidait alors. Et ma mère, venue d'aussi loin que lui (un endroit qui, jusqu'à ce que *Shoah*, le film de Claude Lanzmann, le situe sur la carte, s'est réduit à trois syllabes : Wlodawa ? Wlodawka ?) échoua, vers la soixantaine (la falsification de la carte d'identité reflète celle des vies gâchées), à l'hôpital Cochin, pour cause de cancer, puis dans une urne du Père-Lachaise. Et le fils infidèle s'inquiète : sont-elles dispersées, à cette heure, les cendres ?

Par ces fins hâtives, mes parents ont accru en moi la part du néant : je vise par là aussi bien l'en-deçà de ma naissance que les premiers temps obscurs de ma vie, quand je n'étais pas juif, ou alors c'était sans le savoir, donc comme si je ne l'étais pas ; ces phrases s'acharnent à faire resurgir cette époque de limbes. La majorité des séquences de ce court métrage souffre des imperfections dues aux divers opérateurs qui l'ont monté comme les rhapsodes ont fait avec les poèmes homériques : beaucoup d'interpolations et d'incohérences. De ce sabotage involontaire, le récit qui s'amorce ici voudrait être réparateur — par impossible, je présume, car il est en grande partie un peu tard, telle la figure maternelle ce que j'évoque ne cesse de s'absenter, de se retirer de moi, inexorablement.

Et moi, maintes nuits de mon enfance glaciale comme si j'abritais la banquise sous mes côtes, dans ma tête je refusais de naître, j'ai refusé éperdument d'être né, aspirant à d'autres conditions, à d'autres auspices, à la façon d'un idiot, d'un — à la lettre — demeuré. Né, je le suis, puisque je noircis du papier, dans l'étonnement il est vrai. Faire le point a-t-il valeur ou fonction de remède ? Il me semble que j'écris ces lignes pour opposer après coup une digue à la vague qui essaya de détruire mes anciennes années, comme s'il en était resté l'impression d'être au bord de l'effondrement. Auparavant, ma dénégation —je ne suis pas né— avait été le bouclier qui, exhibant mon inexistence, me sauvait de cette menace de destruction partout à l'œuvre.

C'était donc vers 1946-1947, à Toulouse, où nous accueillait l'O.P.E.J., Oeuvre de Protection des Enfants Juifs, destinée aux rejetons des déportés. Mes parents avaient survécu à la catastrophe et c'était pour notre bien qu'ils nous déportaient sous les cieux cléments du sud. On nous emmena dans une maison baptisée « Le Château ». Hommage à un énigmatique écrivain pragois de langue allemande ? Plutôt référence aux dimensions de cette sorte de manoir. Les trois seules images qui émergent derrière la grille, si je tente de me souvenir, sont celles du perron, de la pelouse, où nous jouions à la balle au prisonnier, et d'une bordure de pierre au contact de laquelle, un jour que par étourderie il se cramponnait à la barre d'appui d'une fenêtre du premier étage, mon frère, en chute libre, catapulta son crâne, manquant de peu se le fendre, le crâne, oui, puisque pour le cœur il y avait chance que ce fût déjà chose faite. Ai-je alors conçu quelque chose d'aussi vague que la pensée de sa mort? Quelque temps la peur m'a tenu de ce crâne, par-derrière, plein de sang dans les cheveux, la bordure de pierre elle aussi souillée, et la course des moniteurs vers la forme étendue, évanouie. Le recul aidant, je me convaincs que longtemps nous vécûmes en état de conflit avec le monde et nous-mêmes. Mon second patronyme est Kotlarz, qui signifierait chaudronnier. Au lieu d'être ce manuel qui sait affronter la matière, je m'y cogne avec persévérance, les objets viennent au-devant de moi et me martyrisent. Il s'agit de se faire le plus de mal possible à l'endroit du corps où le contact avec le monde s'effectue.

De l'O.P.E.J. et de ce « château », à Toulouse, je n'écoute bruire à distance qu'un écho nébuleux, produit par le heurt de blocs erratiques dans un ciel confus. Hormis quelques silhouettes dans le camp de la hiérarchie, mon regard ne détache de ces années anciennes que des impressions d'épaves flottant entre les eaux de la mémoire. Il y avait un moniteur qui se prénommait Sami. Pas de mal à ça, c'est bien son droit. Parfois, passant près de vous, il vous attrapait par l'épaule, et, d'un mouvement pivotant, vous plaquait contre son ventre. Au moment où le noir emplissait vos yeux, ses doigts d'accordéoniste abaissaient prestement culotte et caleçon, et gare à celui qui offrait la preuve de sa négligence au fond de son sous-vêtement! Sami ôtait sa ceinture, tordait le bras du coupable et le fouettait d'un air de rage extrême, comme s'il vengeait une offense personnelle ou un sacrilège envers l'espèce humaine. Nous ignorions tout de son passé. Je me demande s'il ne nous infligeait pas l'expiation d'une expérience incommunicable. On l'entendait ahaner en relevant le

bras, la courroie retombait, le puni tressautait et hur-
lait, c'était l'affaire d'une minute que l'apparition des
fesses nues, la flagellation méthodique, les cris de douleur et le terme du châtiment. Ce qui me revient le plus
fort, c'est la face de l'enfant coincée entre les cuisses
de l'adulte; quelque chose se prépare dans son dos;
ce sera éphémère, irréparable; cela l'embrumera pour
jamais; ensuite il refait surface, les larmes et les cris
l'étouffent encore, comme un rescapé de la noyade.

Nous qui avions nos parents vifs et dissociés et que
notre mère vint voir à demeure durant au moins une
semaine, nous découvrîmes très vite qu'une intime et
essentielle différence nous singularisait aux yeux des
fils et des filles des déportés. Les douches étaient mix-
tes, à l'instar des autres lieu du « château », excepté les
dortoirs, bien entendu. Il arrivait que d'entre ceux-ci
le nôtre fût le théâtre, à l'heure de l'extinction des feux,
d'une étrange péripétie, qui succédait d'ordinaire à la
sanction de la ceinture. De bourreau impitoyable Sami
se changeait en accordéoniste berceur. Dans la pénombre où luisait une veilleuse, nous suivions sa silhouette
qui arpentait la travée centrale, tandis que de ses doigts
agiles sourdait une musique qui titillait nos glandes
lacrymales presque aussi efficacement que l'infamante
peine des fesses battues. Sur les lames du soufflet, soumis à des séries virtuoses d'étirements et de contrac-
tions, des éclairs s'allumaient au passage d'une fenêtre,
avant de se fondre aussitôt dans le noir. Dans les lits
personne ne bougeait, les respirations étaient suspendues à une peur, issue de ce fantôme versatile, dont
les antécédents nous restaient inconnus.

En ce temps-là je ne savais rien de personne. Pas
même de mon frère. Ni de moi, dont la conscience

semblait s'être éveillée avec l'ébranlement de la nuit en train. Sinon, auparavant, des bribes : sirènes mugissantes, un petit chien écrasé au bas des Buttes-Chaumont, et le visage de mon père entrevu comme un homme qui se cache, dans une kitchenette de l'avenue Mathurin-Moreau, dix-neuvième arrondissement de Paris. En jouant au-dessus de nos formes immobiles, Sami arrachait ces feuilles presque blanches à la spirale du cahier de la mémoire. Ceinture ou accordéon, il nous forçait dans nos retranchements, il accouchait nos enfances monstrueuses, il nous plongeait dans l'épaisseur d'un monde fait de ruines neuves.

La détestation de cet instrument de musique ne m'a plus lâché. Dès que je perçois les flonflons d'un bal musette, je cours aux abris, à défaut de faire sauter la baraque. J'aimerais bien aussi faire sauter la banque. Avec l'argent amassé je viderais toutes les boutiques de leurs accordéons, des camions énormes sillonneraient le pays, leurs bennes basculeraient au-dessus des gorges du Tarn et déchargeraient leurs cargaisons dans un bruit d'enfer jusqu'au ventre de la planète. La baraque, la banque, même explosion. Mais je suis un nul pour la poudrière comme pour la finance. Les secteurs où mes pareils ont une réputation d'excellence m'échappent complètement. Juif errant très sédentaire. Juif Süss très peu sangsue. Les hôtels de luxe, en voyage, me coûtent les yeux de la tête. Compensation d'une époque où l'âme se sentait, la pauvre petite, rouée, flouée, tordue. Ni plus ni moins.

Garçons et filles se douchaient ensemble, et nus comme il se doit. Le local était de pierre grise, le sol glissant, les savonnages ponctués de rires aigus. Quand je portais les yeux sur le ventre de mon frère, il avait comme un instant de sidération et puis mécaniquement, sa main dissimulait son sexe. Cette pudeur m'offusquait. L'impression d'abandonnement qui escorte, qui organise mon enfance rencontrait là un accent très spécial. Soudain, ce que, dans les vapeurs d'eau chaude, je revois et entends comme si c'était sur le point de se reproduire, c'est le cercle des gamines joyeuses autour de moi, elles pointent l'index sur le bas de mon abdomen, un étonnement un peu cruel déforme leurs traits et réunit leurs mains, elles font une ronde et s'esclaffent : « Oh, le petit catholique ! Oh, le petit catholique ! » Je n'avais plus de frère. Ma personne honteuse emplissait le monde, qui retentissait de leur comptine gaie, perplexe, ressassante, à mi-chemin de la dénonciation puérile et de la danse du scalp. Car, sans que je le comprenne encore, il y avait là quelque chose à couper, et rien de tel pour se croire coupable. J'espère que nul ne m'intentera un procès pour immaturité au-delà des bornes du raisonnable.

Catholique ? J'avais sept ans, Dieu me pardonne — mais quel Dieu ? La concurrence était très forte entre la pauvreté de mon vocabulaire et la pénurie de mes observations. J'étais si nu dans la salle des douches que j'étais la honte même. Mon dos heurta la paroi gluante. J'avançai d'un pas. Le jet d'eau ruisselait le long de mon échine. J'avançai encore, afin de rendre visible à tous l'objet du délit. Dans sa sphère propre, qui était celle des sensations, mon sexe, hormis le soulagement des besoins urinaires, n'avait pas, jusqu'à cette minute, attiré mon anxiété. Je tentai de le voir avec des yeux de fillettes devenues silencieuses.

Comme j'ai l'esprit de l'escalier, il me fallut un délai de réflexion avant de chercher l'équivalence et la comparaison là où elles se présentaient. Je m'avisai enfin que les autres garçons étaient nus, et pourvus d'un organe analogue au mien, dont l'unique dissonance terminale signalait ma laideur. Elle faisait de moi un paria en face de l'unanimité morphologique de mes camarades. Même Michel R., qui avait eu la primeur de mes larmes en train de nuit et qui souvent se singularisait par la faiblesse de ses sphincters, se retrouvait dans le bon camp, celui des « déprépucés », ainsi que je découvrirai plus tard, ayant rejoint leur bord, que Voltaire les nomme, les distingue, sur le mode de l'obsession. Mais en ce moment où le catholicisme est sorti, tout bardé de son hermétisme, des charmantes gorges de mes petites compagnes, je suis seul au monde, je n'ai plus personne, même mon frère, aussi coupable que moi pourtant, a disparu de mon champ de vision, que brouille et brûle la première humiliation de ma vie.

Catholique ? Prépuce ? Syllabes opaques, morceau de chair insignifiant. Aujourd'hui, pour me défendre d'un outrage ou d'une étrangeté, je consulte un dictionnaire, j'engrange les définitions et les étymologies, la langue française tout entière convoquée dans un volume constitue mon asile, mon trésor, ma patrie, mon salut. Mais en ce temps archaïque dont je parle, rien de tel : la diplomatie et les négociations avec l'univers n'étaient pas encore dans mes moyens. Les regards et les mots d'autrui opéraient en toute quiétude le dépeçage de ma petite âme immortelle.

Au fond, peu importe qui vous fait juif. Mieux vaut à sept ans qu'à soixante-dix-sept ans. Mais même sept ans c'est un peu tard, surtout pour la chair, déjà trop consciente. La seule bizarrerie, c'est de faire son entrée dans le sein du peuple élu à rebours du cliché : non sous le coup d'une vulgaire accusation, comme Albert Cohen traité de sale juif par un camelot antisémite, mais par la grâce de vos innocents congénères, qui vous reprochent un morceau de peau en trop.

Ce paradoxe de ma situation, le lexique ultérieurement consulté m'en procure une clé maniable, quoique la serrure oppose une résistance favorable au pilpoul talmudique. Ecoutez voir, ce n'est qu'un coup d'essai pour le profane que je suis, quarante ans après; mais laissons le mystère de l'identité juive non confessionnelle. Donc, j'ouvre mon bon vieux « Bailly » à la couverture de toile cartonnée verte qui sort de ses gonds : *katholicos*, « universel ». « Oh, le petit catholique » signifie que j'ai le tort, en tant que propriétaire d'un appendice anatomique superflu, de me ranger du côté des rapaces affichant sans vergogne leur prétention à accaparer la vérité « universelle » au nom de quoi ils renient et persécutent ceux sans qui leur lot ne serait que néant. Mais ils ne sont pas le néant, ils sont l'« universel » et c'est en alléguant l'« universel » que le catholicisme réprouve ce judaïsme si singulier que ça ne l'intéresse pas de recruter des adeptes. Mais si on échappe à l'« universel », existe-t-on ? On ne peut que tendre, bon gré mal gré, à l'inexistence. Sois catholique, « universel », ou disparais, maudit, déicide ! Ou quelque chose de ce genre. Et moi, le Juif à prépuce, quel camp dois-je choisir ? A sept ans, si proche encore de l'idiotie, comment saurais-je ? Les fillettes savent pour moi : abominablement exclues de l'universalité, elles pointent ce prépuce où niche laidement un universel dérisoire et exterminateur dont leurs parents ont expérimenté les vertus radicales, elles m'invitent à les rejoindre au sein de la singularité « déprépucée » sous peine de trahison. Moi, le menu représentant du catholicisme au milieu des déicides ? Jamais ! Sept ans membre de l'universel sans le savoir, j'ai déjà eu beaucoup de chance. A présent, il convient que je goûte aux joies de la minorité, que je m'y retranche en me tranchant. C'est cela, être juif sans le savoir tout en l'étant : je commence juste, sous la douche, à venir à moi-même : étant, on peut être sans savoir qu'on est. Hamlet a sombré dans une démence meurtrière pour moins que ça. Être ou ne pas être est une question particulière. Être juif ou ne l'être pas est une question catholique. Toute la distance est de l'humain à l'universel. Merci, fillettes toulousaines qui m'enseignâtes la philosophie gracieusement, cependant que l'eau coulait jusqu'à vos fentes imberbes et anodines.

Par parenthèse, et puisque la grammaire est un de mes minuscules royaumes, j'ajoute ceci, à propos d'étymologies : dans *katholicos* il y a le mot grec *holos*, « tout » ; les linguistes, ces pervers polyglottes, le rapprochent du latin *salvus*. Or, quel est le sens de *salvus* ? Réponse de mon « Gaffiot » dépenaillé : « bien portant, en bonne santé, en bon état, bien conservé, sauf ». Ils ne sont pas fous, ces catholiques munis de leur prépuce en guise de viatique : intégrité corporelle vaut salut intégral. Si, dans l'Ancien Testament, la circoncision est le signe de l'Alliance, les Juifs sont en droit de s'interroger sur les bienfaits de leur divin Allié ; celui-ci n'aurait-il pas dû protester contre cette équation contre nature : incirconcision = universalité ? Mais aussi, qu'est-ce que cet « universel » qui met tout un groupe humain au ban des nations, de l'humanité même ? Qu'est-ce que cette bonne nouvelle, qu'est-ce que cette parole d'amour qui sème la haine, qui annonce la mort ? Selon le Talmud, le pire péché sur la terre, c'est d'infliger l'humiliation. Catholiques, qu'en pensez-vous ? Merci, fillettes juives en la cité des violettes : par vous je devins ce que j'étais sans en passer par l'offense des bannisseurs de l'universel.

Chose vue, chose due. Hélas. Circoncision rime tout de même un peu avec crucifixion. Je me revois sur le billard improvisé du « château ». On m'a étendu, je suis écartelé, il va falloir que je paie la prudence de mes parents. Garder son prépuce, entre 1940 et 1944, c'était l'espoir de garder sa vie, une prime pour l'instinct de conservation. Pour être mis en pension, il faut avoir la vie sauve ; en préservant mon prépuce, mes parents me préparaient à la pension. Tout cela vous a un air de cohérence morale et esthétique sur lequel je ne crache pas. Au demeurant, souffre-t-on moins à huit jours qu'à sept ans ? Quel bébé génialement précoce en a jamais témoigné ? Quant à Jésus, il fut d'abord circoncis, puis crucifié : de juif il devint universel. Moi je fus crucifié en même temps que circoncis : de catholique je devins singulier.

L'opération me causa une telle douleur que je ne puis voir un prépuce ou penser le mot prépuce sans une réaction de dégoût insurmontable. Pourtant, des sons assez doux et très émouvants bercent mon souvenir de cet événement. Tandis que je suis comme en gésine sur la table, le bas du corps mis à nu, j'entends s'épancher des hymnes dans la grande salle mitoyenne où toute la population du « château » s'est rassemblée. Ils célèbrent mon intronisation juive, mon retour à l'essence juive, qui semble dépendre d'un grotesque morceau de chair, lequel symbolise tout aussi curieusement l'appartenance à l'unanimité catholique —comment une cervelle enfantine ne s'égarerait-elle pas dans ce labyrinthe de significations ? Mais ils sont tous là et chantent en l'honneur de mon âme juive, sans tenir aucun compte de mon corps, qui aurait peut-être préféré les garanties de l'hôpital.

Le fond sonore, oui, est plein de tendresse et de gaieté. Mais ce qui se joue vers la partie basse de ma personne physique, je le revis avec terreur. Deux, trois, quatre hommes se démenaient. L'un, vêtu de noir et barbu, tenait un livre de prières et psalmodiait. Il restait à mon chevet, tout près de ma face effrayée. Un autre m'appliqua un tampon sur la bouche et le nez et m'ordonna de respirer fortement. Aussitôt remontèrent à la surface les fragments de désastres censurés, quand, sous la torture d'une fistule anale et la menace d'un anus artificiel, j'étais jeté (vers l'âge de trois ans?) dans des mains étrangères et que le masque d'éther tournoyait le long d'un entonnoir qui m'aspirait vers le gouffre de ma mort. En proie à la panique, j'inventai une loi dont la formule serait que le pire déjà advenu se conjugue immanquablement au futur.

Et donc il advint que, mon organisme étant accoutumé jadis à de plus puissantes anesthésies, ou la dose de chloroforme se révélant insuffisante, je m'éveillai en hurlant de douleur. Il paraît que je proférai alors une phrase devenue là-bas légendaire et qui me revint en pleine figure quelques jours plus tard, lorsque la directrice, en guise de récompense ou de consolation, m'offrit une locomotive et m'informa de ce délire qui avait tiré de mes entrailles le principe d'un engagement indéfectible : « Je jure que je serai juif ! Je jure que je serai juif ! ». Au bout de quelques semaines, un garçon plus âgé se glissa une nuit dans mon lit, procéda à des attouchements, confirma l'authenticité de mon opération, me pria de comparer. Ma circoncision dut le rassurer, mon inertie le décevoir. Il régnait dans mon crâne une pénombre analogue à celle du dortoir, mais déjà une conclusion était clairement dégagée : mon absence d'intérêt pour le sexe masculin, pourvu ou démuni de sa précieuse parcelle de peau qui pend.

« Je jure que je serai juif ». C'était comme si, entre ma naissance et mon identité, il y avait eu un intervalle que je ne pouvais franchir que sous serment. Comment peut-on être persan ? Comment peut-on être français ? Comment peut-on être juif ? Comment peut-on être soi ?

Il faut croire qu'il y avait en moi (et qu'il y a en chacun de nous) une voix souterraine, taciturne, secrète. A de certains instants elle ne peut plus se taire, il y a urgence qu'elle révèle ce qu'elle sait avant nous. Comment procède-t-elle ? Elle crie au travers de notre souffrance et de notre sommeil. D'autres s'en saisissent et nous en font part. Ces témoins ne sont d'aucune utilité : nous continuons à faire comme si nous ne savions pas. « Je jure que je serai juif » : ainsi extorquée, cette parole résonna longtemps dans les coulisses avant de s'avérer. Une fois avérée, l'énigme ne cesse pas. Le suis-je ? Et si oui, quel est le sens ? J'étais, il est probable que je suis encore, à l'endroit de ma condition ou de mon identité, semblable au personnage de Isaac Bashevis Singer dans *L'esclave*. De Wanda nommée Sarah par conversion, le romancier écrit : « Elle était devenue membre d'une communauté, mais elle s'y sentait étrangère. » Ma revendication d'être se heurtera toujours, même et surtout au plus fort du discours, à l'absence originelle, que ne comblent ni les coups de force ni les serments surgis de l'inconscience.

Jeudi 12 février 1987, je reçus un appel téléphonique. Il émane d'une dame que, sur le point d'entreprendre ce récit, j'avais réussi à joindre sans la connaître autrement que comme mère d'un de mes anciens élèves. Sa fonction de sous-directrice actuelle de l'O.P.E.J. me laissait espérer des éclaircissements sur cette lointaine époque où je ne devine que l'ombre portée de quelques fantômes nantis de leurs circonstances accessoires. Mon informatrice me ravit : en dissipant des mystères, elle creuse d'autres lacunes, et je conserve le pouvoir d'agencer cette fantasmagorie à ma guise.

Car elle hésite, cette dame, c'est nettement perceptible, le ton, le débit, les détours, elle hésite à me délivrer des informations dont elle finira par m'avouer sa crainte qu'elles perturbent une mémoire en vérité si chaotique que le trouble lui est consubstantiel. Au bout du compte, les archives s'étant ouvertes, mon pauvre moi ancien ne passe pas un trop mauvais quart d'heure à voir ses fondations un peu plus s'affaisser. A Toulouse il n'y a pas eu de maison de l'O.P.E.J., mais, ce qui ne change guère, un Foyer des enfants de déportés. L'adresse ne manque pas d'un amer mérite qui ferait donner du sens à ces histoires : 2, rue des Martyrs de la Libération. La réalité invente ses fictions avec une outrance inconnue des affabulateurs. Même les enfances volées recèlent des trésors d'ironie réjouissante. Si, en grec, les archives désignent la demeure des magistrats, je découvre qu'en français elles peuvent être le siège du néant : car, dans les archives, nulle trace du passage de mon frère ni de moi au « château » ; nous n'y avons pas séjourné, puisque nous ne sommes inscrits nulle part. Or, je certifie qu'à Toulouse, incirconcis, je fus traité de petit catholique, puis opéré, et qu'en cours de circoncision je reconnus par serment mon avenir juif. Et j'avance une preuve : le prénom de la directrice du « château », Gisèle, capté par mon oblique mémoire encline au compromis.

Les traces de notre passage, où commencent-elles d'apparaître ? Les réponses téléphoniques s'accélèrent à présent, avant de ralentir très vite, en quelque sorte. Où sommes-nous signalés ? A Rueil-Malmaison, avenue de l'Impératrice Joséphine. Quand ? Du 8 mai 1947 à octobre 1952. A quel titre sommes-nous reçus dans cette maison de l'O.P.E.J. ? Au titre de « mère présente » (sous son nom de jeune fille, Sarah Guterman) et de « Szulim : père déporté en 1944 ». Cette dame ajoute : traduisez : non revenu. J'avais compris. Mais j'ai connu un père, je l'ai aimé, c'était le mien, il se cachait derrière une barbe noire et des lunettes fumées, les prénoms aussi étaient des déguisements, Jean, André, avant de renouer avec le sien propre, Szulim, Shalom, qui signifie paix ; lui qui en jouit si peu, et qui mit si longtemps à revenir à lui-même, à se trouver au rendez-vous avec lui-même, lui le perpétuel revenant, oui, revenu de là où il n'était jamais allé, Dieu merci, jamais déporté autant que je sache, mais ayant usé de ce stratagème pour que nous fussions recueillis à l'O.P.E.J., puisque pas possible, selon toute apparence, d'agir autrement.

Et à la dame très patiente je prodiguai mes remerciements et j'ajoutai à haute voix, parlant de mon père : « Que Dieu le bénisse », formule imprononcée par moi jusque-là. Car nonobstant la ruine de notre enfance, ce père et cette mère nous mirent au monde avec le plus grand risque et nous gardèrent en vie avec le plus grand risque et nous restituèrent à la paix comme ils purent au milieu des décombres de leurs rapports, et aujourd'hui me voilà tel que je suis avec mes circonstances, et c'est ainsi. Eux ne sont plus que cendre et poussière. Ils ont rejoint la cohorte des leurs, exterminés sur place, là-bas, dans les alentours de Wlodawa-Wlodawka, dont le *Shoah* de Lanzmann m'apprend la proximité avec Sobibor, le camp.

Auparavant, ce père et cette mère nôtres avaient choisi pour leurs deux fils un pays, une langue et un destin. C'est ce qu'atteste l'acte officiel que je retrouve ce jour dans nos papiers de famille éclatée et que je recopie en substance :

« Déclaration
en vue de réclamer la qualité de Français
Décret du 14 mai 1938

L'an mil neuf cent quarante
Le dix-neuf novembre
Pardevant Nous, Juge de Paix du XIe Arrt de Paris

En notre Cabinet sis au siège de cette Justice de Paix, s'est présenté M. Srul Szulim Koster Vel Kotlarz, né à Wlodawka, Pologne, le ... 1907
profession tailleur,
domicilié à Paris
(...)
Lequel a déclaré que de son mariage avec Sara Guterman née à Wlodawa, Pologne, le 10 janvier 1913,

était issu un enfant Serge Koster Vel Kotlarz, né le 3 août 1940 à Paris, 4e arrt, sur lequel il exerce les droits de la puissance paternelle.
Et que voulant, bien qu'il soit encore mineur, lui assurer la qualité de Français, il réclamait au nom

de celui-ci la nationalité française, en vertu des dispo-
sitions de l'article 3 de la Loi du 10 août 1927.

(...)

Déclaration conférant la qualité de Français
Enregistrée au Parquet du Procureur de la République
près le Tribunal de première instance de la Seine
le 18 février 1941

(...) »

Pourquoi exhiber ce chiffon de papier ? Parce que,
en paraphrasant Figaro, je ne me suis pas donné la
peine de naître, et rien de plus. L'élection de la France
n'est pas un accident, c'est une adhésion qui veut mettre
fin au hasard. Avoir échappé aux rafles et à la déportation confère au choix de nos parents une dignité dont
seuls peuvent se prévaloir ceux qui, sans rien renier,
ont redoublé l'humanité natale en eux, et chez leurs
descendants.

Pour en finir avec les fastes toulousains, quoique
rien, aucun document ne prouve que nous passâmes
là, hormis la parole de ma mémoire, voici la classique
scène de la honte, dont l'originalité, dans mon cas, est
de n'être pas primitive, mais seconde : « sale juif » n'a-
t-il pas été précédé de « oh, le petit catholique » ? C'est
jouir masochistement deux fois de la même découverte,
du même anathème, du même baptême.

De l'humiliante scène je conserve, plutôt que l'écho
de l'injure, l'empreinte de sensations visuelles et tac-
tiles : la coque épineuse du marron, sa robe brun rouge.
Il est vrai que n'ayant jamais quitté l'école je ravive
en moi, lors de chaque rentrée scolaire, la présence des

marronniers anciens, confondus avec ceux des plus ré-
centes générations. Cet arbre ne cesse de jouer son rôle
dans dont la guerre judéo-chrétienne que Toulouse inaugure
dans mon existence.

Il faut bien l'avouer : nous, les enfants du « château,
nous étions des provocateurs. En nous rendant en
bande à l'école communale, ne nous affichions-nous
pas sans vergogne ? Un Juif, deux Juifs, soit ; mais la
tribu tout entière ? Et si soudée qu'à peine serait-on
parvenu à nous distribuer à nos classes respectives.
Comment s'étonner que la cour de récréation devienne
le théâtre des batailles sous les marronniers, le champ
clos où se vengeait la mise en croix de Jésus ? Les
Gentils et les Élus s'affrontaient donc avec pour armes
les poings et les marrons. Le combat se disputait selon
deux variantes : le jet à distance et, dans un pays de
rugby, la mêlée judéo-goy.

N'exagérons rien : c'était Toulouse, France, 1947, et
non pas Kielce, Pologne, 1946. Une querelle d'enfants,
et non pas un progrome d'adultes. Mais cette ubiquité,
cette permanence de la haine et de la honte ? Combien
faudra-t-il de conciles pour que les enfants abjurent
l'héritage des siècles ?

Mais non. Sous les marronniers de la cour aux pave-
ments grisâtres, ils miment à leur tour deux millénaires
de malédiction, le bouche à oreille fonctionne efficacement, les abominables fils et filles des disparus et des
survivants sont attendus de pied ferme et le poing serré,
car, comme le ver dans le fruit, le pogrome est dans
le marron. Juste un détail cloche : nous nous défendons,
nous ripostons, nous menons même des offensives ful-
gurantes. Quand l'instituteur sépare les combattants,
il n'y a ni vainqueurs ni vaincus. Nous apprenons en
toute inconscience, en toute innocence une leçon inouïe

de l'histoire : le refus de la répétition. Le cri sorti de ma gorge et l'offense séculaire créent ma condition. Puisque tous jurent que je le suis, soyons-le. Cela n'empêche pas la perplexité.

Plus spécialement : « Sale Juive », je n'ai jamais entendu l'insulte au féminin. Qu'est-ce à dire ? Que rien dans l'anatomie, au physique, ne permet d'identifier une Juive ? Qui plus est : la circoncision n'est souvent qu'une mesure d'hygiène ou un traitement médical. Alors, quelle partie de la personne dénonce la juiverie en nous ? Si « Mort aux Juifs » sur les murs met mon âme en deuil, il me semble que « Mort aux Juives » me plongerait dans l'abîme de la désolation. Dans les romans la Juive est belle, le Juif est sale. Dieu merci pour la distinction. Mais où est le sens de tout ça ?

On croit morte enfin la vieille naïveté, son cadavre bouge encore. Je veux dire : la discrimination instantanée des origines ethniques me demeure un mystère. Il y a une dizaine d'années environ une stagiaire fut envoyée dans ma classe. Elle se prénomme Berthe, ses cheveux sont blonds, ses yeux bleus, son teint clair — tous les signes extérieurs du stéréotype de l'Aryenne. Nous sympathisâmes et connûmes un peu nos identités et nos conjoints. Peu après, je publiai un roman, dédié à Sarah Guterman. Elle me téléphone pour exprimer sa surprise. Guterman était le patronyme de sa mère jeune fille, ainsi que de la mienne. Elle la blonde et moi le brun, nous voilà donc cousins, à titre symbolique jusqu'à nouvel ordre. Berthe m'apprit aussi que, pendant que son père disparaissait à Auschwitz, elle recevait une éducation catholique dans les Cévennes. Imaginons-la frappée d'amnésie : qui distinguerait en elle la part juive en l'absence de document l'attestant ? A Toulouse comme plus tard à la Malmaison notre communauté nous signalait Juifs dans la ville. Mais pour moi cela restait une cause obscure, je me battais sous les marronniers à coups de bogues pour faire comme mes compagnons, je n'avais alors qu'eux à aimer ou presque, il n'empêche : je me sentais investi par le reflet proprement inconnaissable que la conscience d'autrui, goy ou juif, me renvoyait de moi-même, irréductible noyau de résistance à mon identité, flottant îlot d'inadéquation au monde des opinions certaines.

Tout cela se produisait sans trop d'esclandre dans ma cervelle en proie à la confusion. C'était déjà si dément d'être né ! S'il fallait encore, si jeune, se scandaliser d'être là, d'être soi ! Aujourd'hui je ne doute plus que le problème persiste, intact ; le nœud, indissoluble. Subir et savoir sont advenus sans que rien au fond ne change. Je ne suis devenu, dans la perspective juive, que ce que j'étais : un Juif déjudaïsé. Cette connaissance ne modifie toutefois pas la condition : de 1947 à 1987 tout est à peu près pareil. A peu près : dans cet intervalle s'insère ce texte, resserrant, si possible, le réseau de l'identité, ou tâchant de combler ce qui, de moi à moi, continue à me séparer de moi, en dépit du trajet accompli entre la rue des « Martyrs de la Circoncision », selon le calembour de mon ami l'avocat Maurice S., qui en connaît un bout sur la question, et ce bureau où je m'acharne à taper à la machine, avec un doigt de chaque main, incapable de progrès manuel. Et pourtant, lorsque Michèle Bernstein, rendant compte d'un roman, intitule sa chronique de *Libération* « J comme Je, J comme Juif », je me reconnais sans l'ombre d'un doute dans cet inconnu qu'elle désigne.

Du transfert de Toulouse à Rueil ne me revient aucune image. Peut-être ces oublis sont-ils le lot des infirmes de l'enfance. De ce temps-là date que me déplaît tout ce qui est déplacé. Mon informatrice de l'O.P.E.J. me précise que la maison de Toulouse fut fermée et qu'il y eut un départ pour Rueil le 8 mai 1947. Les archives sont indiscutables. Je ne vérifierai pas davantage. L'incomplétude du puzzle me contente pleinement.

Mais subsistent, indélébiles, des traces au verso de la chair ; comme sur une feuille brandie devant la fenêtre, on peut lire l'autre page. L'encre, le sang charrient sans fiel des fragments, qui se fichent ici et là ; dards dans la cicatrice. Un hiver, j'ai eu si froid qu'une monitrice, me voyant pleurer, m'a déchaussé, mis les pieds dans le lavabo de la cuisine et les a frictionnés à l'eau froide, jusqu'à ce que la circulation se rétablisse. Certains soirs, après la corvée de vaisselle, je traversais le parc pour gagner le dortoir au-delà des pelouses et des arbres. Les feuillages remuaient, j'avais la frousse en courant à l'intérieur de l'enceinte de la pension, close sur son désert sentimental. J'étais inatteignable, hors d'atteinte du démon ou de l'espoir, dans une sensation d'abandonnement total encore et toujours, comme cette fois où ma mère, malade des reins ou des hanches, est restée sans venir nous visiter, mon frère et moi, durant au moins un semestre, écrivant juste une lettre illisible de faiblesse, et cette autre fois où, au milieu de la visite du dimanche, elle s'est retrouvée étendue sur une civière, à côté de l'ambulance, et je me revois m'enfuyant pour pleurer à l'écart des autres en cercle autour de cette forme souffrante. Et d'autres fois encore, qu'aucune enquête matérielle ne restituerait — d'ailleurs il y a forclusion, l'âme est quelque peu démolie, la sensibilité impotente, la mémoire percluse. Et puis je n'avais accès à rien ni personne. Même pas à des mots comme «pathétique» ou «tragique», aussi consolateurs qu'une gorgée d'alcool avant d'aller au lit.

Putain de mémoire d'enfance. Pourtant, il ne convient pas de noircir le passé, sous peine de mutiler l'avenir. Je me souviens de l'étang de Saint-Cucufa : ses nénuphars déployés à la surface de l'eau dans le sous-bois. *Hatikva*! Je me souviens de l'*Hatikva*, qu'il me semble avoir entendue dès notre arrivée à Malmaison. Et de nouveau un soir, en juillet 1987, sur TF1, qui diffuse *Shoah* : la séquence se situe dans la synagogue de Corfou, qui me rappelle celle de Rhodes, visitée en août 1986, dans la compagnie d'une femme nous expliquant que le culte continuait grâce aux sept familles survivantes et à la générosité des donateurs, dont nous fûmes pour une modique part ; dans le film de Lanzmann, de vieux Juifs de Corfou, avant de relater les circonstances de leur déportation sous les yeux des Grecs chrétiens leurs compatriotes, qui ne lèvent pas le petit doigt, sont montrés qui chantent l'*Hatikva*, de leurs voix nasillardes et claironnantes ; si je crois n'avoir rien de commun avec eux, l'émotion qui me bouleverse suggère une autre leçon : telle qu'elle se fait depuis des siècles, l'Histoire nous rend solidaires, en dehors du langage même. L'*Hatikva* était encore l'hymne du mouvement sioniste, avant de devenir, un an plus tard, l'hymne national d'Israël. A l'époque je l'ignorais, ça comme le reste. Mais, j'écoutais, perdu parmi les nôtres, les larmes prêtes à jaillir, cette mélodie qui, sans considération d'allégeance, accélère les battements de mon cœur. Quand je l'écoute, elle délimite un moment radieux dans l'hiver quasi perpétuel de cette enfance que j'évoque ici.

Autre écho de ce temps : une prière redite le jour

31

des obsèques de mon père, en mai 1970. Il y eut un rabbin et une cérémonie religieuse, tout à fait contraire à son militantisme dans des causes sans Dieu : ce fut pour être agréable aux enfants d'Hanna, désireux du rituel. Surgie des temps de la Malmaison, cette prière se fit entendre, tout comme elle se fait entendre aux dernières pages du *Dernier des Justes*, quand Ernie Lévy inhale, dans la chambre à gaz, les effluves du « Cyclon B », dont Darquier de Pellepoix, commissaire général aux Questions juives entre mai 1942 et février 1944, affirmera en 1978, depuis l'Espagne, lieu de son décès bien tranquille, qu'il n'a servi, à Auschwitz, qu'à gazer les poux. Donc, pour les poux, les Juifs et mes parents s'éleva cette prière : « Schema Israel Adonai Elohenou Adonai Eh'oth ». Comme l'*Hatikva*, elle me bouleverse. Agnostique, je m'en récite la traduction, me désaltérant à cette nappe phréatique du cours de ma vie : « Ecoute Israël l'Eternel est notre Dieu l'Eternel est Un ». Me voilà Juif d'office, sans croire à rien, et dans l'errance mentale de qui appartient à un legs intransmissible et inaliénable, et suffoqué par cette vaine intercession d'une prière qui ne sauva pas de l'annihilation ceux qui en toute extrémité s'y raccrochèrent avant la dispersion de la fumée dans le ciel silencieux. Le chagrin cède parfois devant les autres réminiscences : le jeûne de Yom Kippour à l'âge de dix ans et le malaise dû au repas du soir pour clore le Grand Pardon ; la chasse aux miettes de pain, la veille de Pessah ; les préparatifs du shabbat, à tel ou tel détail près...

Le chagrin n'a pas plié bagage. Ses motifs sont intacts. Sa source ne se tarit pas. C'est que, sur l'enfance et la judéité, on ne peut passer l'éponge aussi aisément qu'on le voudrait. Lorsque, par traîtrise, l'enfance présente l'aspect d'une camisole de force, et qu'ainsi pris vous voilà éjecté du réel, même les coups de force de l'amour, du style et de la reconnaissance ont du mal à vous en affranchir. L'usage intensif de la première personne du singulier (« Je me drape dans ma dignité », ai-je un jour répondu à ma mère) fut longtemps ma seule arme contre le ratage, la rumination et l'insanité. Comme je me suis lentement empressé de fuir le gâchis des commencements ! Quelques morceaux de glace n'ont pas encore fondu, qui prolongent la banquise de ces années. Longtemps aussi j'ai considéré leur héritage juif comme un cadeau empoisonné. A Toulouse, à Malmaison, ailleurs et plus tard, les ultimatums que ceux qui ne le sont pas continuent d'adresser à ceux qui le sont, l'impossible familiarité de ce fardeau, l'ajournement indéfini de la paix avec soi à cause de la guerre des autres, n'ont de cesse d'entretenir une guerre en moi.

L'école est un des lieux privilégiés de ce genre d'histoire. C'est là que de tout temps ceux de ma sorte ont exprimé leur aspiration à l'excellence et aussitôt provoqué la riposte de ceux —écoliers, instituteurs— qu'habite une rage amoncelée par la routine des siècles et des sermons. Nous avions nos cancres, naturellement : ceux-là bénéficiaient d'un répit relatif, il leur suffisait de se fondre dans la bêtise ambiante. Mais enfin, quant à l'intelligence, la faim d'apprendre et le zèle dans l'appropriation culturelle, nous étions quelques-uns, à la « communale » de Rueil, à les manifester avec une ostensible réussite. Non seulement les premiers de la classe, mais hors concours, si possible, planant au-dessus du lot tels de petits aigles ambitieux et ravis. Non par prétention ; animés du désir de bien faire — de mieux faire — de faire mieux ! Tel mon frère sautant en janvier 1952 du cours moyen première année au cours moyen deuxième année afin de me rejoindre, de se présenter à l'examen d'entrée en sixième en même temps que moi (il obtiendra deux points de plus que son aîné) et de poursuivre au lycée une scolarité, une fraternité indissociables. Elle résonne encore dans mes oreilles, la phrase leitmotiv de nos maîtres s'adressant à nos condisciples autochtones dans un mouvement où la louange et le dédain dessinent, sous-jacent, le cercle de la ségrégation vindicative : « Vous n'avez pas honte ? Laisser les premières places à des étrangers ! » Et le jour de la distribution des prix scellait notre triomphe et leur rancune. Nous n'en avions cure : il m'apparaît que nous réalisions instinctivement un vœu que les Juifs se transmettent sans mot dire de génération en génération : assurer, en s'adonnant au culte des livres qui sont les dépositaires du savoir, le salut de chacun et l'amour de l'humanité. Et tant pis si, loin de déposer les armes, nos ennemis revenaient à la charge avec une impétuosité accrue par le dépit et accroissant leur arrogance ! La vilenie de l'antisémite n'a d'égale que la persévérance de sa victime, qui se promeut avec un héroïsme d'autant plus éclatant qu'on s'acharne à l'abaisser. La prétendue supériorité juive n'est qu'un réflexe de survie. C'est ainsi que vous le prenez ? Certes. Le moyen de faire autrement ?

A ce qu'il semble, eux non plus ne savent, ne peuvent faire autrement. Je ne voudrais pas macérer dans la gueuserie, mais dieu qu'il est ardu d'être enfant dans ces circonstances ! On a endossé cette tunique de Nessus, et, à l'inverse d'un Héraklès qui entame sur le bûcher la promesse de son immortalité, on ne parvient pas à se défaire de cette peau qui brûle, l'enfance. J'en

ai été infesté comme d'une pullulation de flammes sous
la chair et je n'échappai à l'écorchement vif qu'à l'âge
de vingt ans, quand échurent les cadeaux de la vie, et
ce fut sans effet rétroactif ; l'armistice n'est pas l'amnis-
tie. Au demeurant, je puis battre ma propre coulpe
peccable, car les assauts antisémites du jeune âge ne
m'ont pas prémuni contre ma bêtise trop humaine :
dans les années cinquante, pensionnaire à Sceaux, je
participerais à des chahuts d'une façon ignoble. L'un
d'eux serait dirigé contre un surveillant africain. Profi-
tant de son absence momentanée de l'étude, j'inscrirais
au tableau noir cette phrase d'une vulgarité sans borne
ni excuse : « Ici fleurissent les mimosas qui veulent jouer
les Blanche-Neige. » Impossible d'effacer cette offense ;
elle flottera toujours entre deux eaux de la mémoire.
Et je récidivai quelques années plus tard, dans l'ordre
social, en commettant l'indélicatesse de prédire à mon
ami Alain, élève incertain, une carrière de cuisinier, si
sa paresse persiste ; le malheur est que cela se passe
dans la cuisine, devant Marie, la cuisinière de sa famille
—Marie, la vieille Marie, à l'accent de terroir, Marie
pour qui j'ai une vive tendresse. « La gaffe, attention
la gaffe », murmure Alain, mais il est trop tard, le mal
est incurable. Je ne m'en console pas. Je proteste. Et
je m'interroge : est-ce le conflit avec soi qui engendre
le conflit avec l'autre, ou l'inverse ? Est-ce que, déni-
grant Mimosa, je prends une revanche parce qu'on m'a
traité de métèque ? Faut-il qu'on soit toujours le juif,
le nègre ou la cuisinière de quelqu'un ? Bonté divine !

A défaut du prochain, respectons la chronologie. Je
reviens à Rueil, son école, ses délices, et aux représailles
que notre studieuse excellence suscitait chez nos petits
camarades. Celui qui a la déraison chevillée au corps,

tout lui est motif à l'exercer, à l'étayer : travestir l'autre est son affaire. Après quoi, son inhospitalité envers nous contamine la terre entière, subitement irrespirable. Le porte-parole de cette vilenie n'a plus de nom dans mon souvenir. Je crois me rappeler qu'il jouait le rôle conventionnel du meneur, mauvais élève et chef de bande ; son terrain d'élection n'était pas la classe, mais la cour. Ses récréations étaient des croisades. Il lui arriva, une fois, de mettre en œuvre une tactique très pacifique, heureux de faire, à moindre frais, encore plus mal. Je le revois s'adresser à nous gracieusement, nous prendre tour à tour à témoin, tout d'un coup oublieux des batailles et des invectives. Je compris très vite ce que recelait cette prodigalité de sourires ; il quêtait dans notre approbation obligée le blanc-seing d'une judéophobie dont un événement minuscule venait de lui fournir la preuve et les principes incontestables.

Quand ce fut mon tour de l'écouter discourir, il se campa devant moi et fit subir à son personnage de matamore une métamorphose parodique qui me laissa interdit : voûtant son dos, étriquant ses épaules, plissant ses traits, il effila son nez en une courbe imaginaire, puis, la paume de sa main incurvée, l'approcha de ses yeux rétrécis par une myopie de vieillard rapace en train de compter ses sous, enfin, coulant un regard sournois à mon intention, il cracha son meurtrier, son triomphal venin : « Ton camarade Joseph, il était comme ça, tout à l'heure, devant la grille. C'était formidable ce qu'il avait l'air juif. Tu es bien d'accord avec moi, hein, tu ne peux pas dire le contraire ? Comme ça, sans mentir, je le jure. » Et il cracha sur le côté, gardant la posture assez longtemps pour que je me pénètre de mon apparence juive telle que, sans connaître les simulacres de la propagande nazie, il l'avait réinventée à notre intention. Excusez-moi : j'aurais voulu être drôle, avoir le don de la drôlerie, relater la chose avec l'accent de la drôlerie. Cela siérait mieux à notre légendaire sens de l'autodérision. Auto-, oui : quand ça vient de soi, pas de l'autre qui vous fige et vous tue. Lâchement interloqué, j'abaissai le regard, je courbai la tête, toutes attitudes qu'il eut le loisir d'interpréter comme des signes d'acquiescement et de reddition. J'ai aujourd'hui avec l'argent des rapports troubles, tantôt pingres, tantôt dispendieux ; je me lave les mains le plus souvent possible après l'avoir touché. Et je pense à « Shylock, Juif », comme l'indique la distribution de la pièce de Shakespeare.

C'est pour moi un des mystères les plus iniques : que Shakespeare ait pu écrire les ignominies du *Marchand de Venise*. Dans l'industrie où se fabriquent les objets constitutifs de la pelote judéophobe, à peine la brebis galeuse tire-t-elle un fil, et c'est tout l'écheveau qui se dévide ; les figures les plus investies de piété s'effondrent. Voici Sartre, que ceux de ma génération révérèrent si constamment. J'ai longtemps pris pour argent comptant ses diatribes contre les écrivains qui se turent lors de l'écrasement de la Commune. Complices et coupables, tel était le verdict. Vint le jour où je découvris les faits troublants : sa pièce *Les Mouches* jouée avec l'aval de la censure allemande ; l'acceptation d'enseigner quand les professeurs juifs sont bannis de l'université ; ses piteuses velléités de résistance. J'arrête là, pour éviter la dislocation. Je préfère me réconcilier avec le Sartre sympathique et attachant des *Carnets de la drôle de guerre*. Combien d'écrivains survivraient à l'investigation ? Je refuse que mon musée devienne un crématoire, ma bibliothèque un champ d'épandage. De surcroît : chaque antisémite ayant son bon Juif, pourquoi chaque Juif n'aurait-il pas son bon antisémite ? Et même plusieurs ? Pour ma part, j'élirais Léautaud : après avoir été dreyfusard, il radote contre ces métèques qui occupent copieusement les postes clés, mais il a l'inspiration de s'insurger contre les persécutions dès qu'elles débutent. Et puis un homme qui protège les animaux ne peut être mauvais. Paul Léautaud sera dorénavant mon antisémite d'honneur.

Mais Shakespeare ? Ce monument des lettres universelles. Les plus sublimes productions de l'esprit n'auront-elles donc pas été épargnées, dans ce laps de vingt siècles chrétiens, par la pollution ? Quel forfait ont accompli les congénères de Shylock pour encourir un tel opprobre ? Et quelle rumeur séculaire tisse cette infecte solidarité entre le génie à son apogée et le gamin de Rueil ? Diable, il y a là de la folie. Un stéréotype aussi tenace et homicide.

Repensant à la scène de Rueil, j'ai relu la pièce. Quand Antonio, le marchand vénitien, s'esclaffe : « Cet Hébreu se fera chrétien : il devient bon », une infime amertume nuance mon sourire, si je songe aux chemins très tortueux qu'emprunte, depuis deux millénaires, la bonté chrétienne. Je continue à lire, avec une sinistre délectation. La réplique d'Antonio est précédée de ce grinçant impératif : « Cours, aimable Juif » (Acte I, scène 3). Déclic : même avec sa valeur d'antiphrase dans le contexte, l'adjectif « aimable » acquiert soudain une signification illuminante. Sans le savoir, tout à son ironie, Antonio vient de vendre la mèche : l'usure n'est que l'écran de l'amour. Ce que le marchand de Venise redoute et rejette, ce dont il ne veut à aucun prix, sous peine de contagion, cela porte un nom : l'amour. Shylock aime Antonio. Antonio le pressent-il ? Au grand

jamais le Chrétien ne doit se faire « avoir », se faire
« mettre » par le Juif. L'horreur de l'inceste frôle Antonio : le fils (le Chrétien) possédé par son père (le Juif) ?
Car cela dépasse leurs personnes, l'enjeu est celui des
relations entre le judaïsme géniteur et le christianisme
engendré. Le Vatican l'a si bien compris qu'aujourd'hui
encore il n'accorde pas sa reconnaissance diplomatique
à Israël, capitale : Jérusalem, tandis que les capitales
de l'Islam ont son agrément.

Bien entendu, je divague un peu. Cette restriction
mentale ne change pas le sens de mon interprétation.
Relisez donc. Au fond, l'argent n'intéresse pas Shylock.
Sinon, il exigerait son dû en espèces sonnantes et trébu-
chantes. La chair de l'autre n'est pas une valeur renta-
ble ou productive. Dérivé en une sorte de cannibalisme,
le désir d'amour se masque de circonlocutions déchif-
frables si on consent à entendre celui qui propose un
marché d'apparence si grotesque : « Cette bienveillance,
je veux vous la montrer. Venez avec moi chez un no-
taire, signez-moi là un simple billet. Et, par manière
de plaisanterie, si vous ne me remboursez pas tel jour,
en tel endroit, la somme ou les sommes énoncées dans
l'acte, qu'il soit stipulé que vous perdrez une livre pesant de votre belle chair, laquelle sera coupée et prise
dans telle partie de votre corps qui me plaira. » N'est-
ce pas un appel à consommer métaphoriquement
l'« acte de chair » ? Impossible d'être plus direct sans
risquer l'obscénité. D'où l'écartement des mots qui s'ai-
mantent, « acte », « chair », et à la fois l'aveu qui af-
fleure, votre belle chair, telle partie de votre corps qui
me plaira

Aussi, me ravisant, je voterai peut-être les circonstances atténuantes en faveur de Shakespeare. Son monstre
a parfois des accents pathétiques, des entrailles hu-

maines, des tripes émouvantes. Acte III, scène 1 : « Je suis un Juif ! Un Juif n'a-t-il pas des yeux ? Un Juif n'a-t-il pas des mains, des organes, des proportions, des sens, des affections, des passions ? » Etc. Vous constaterez en outre que ce vieillard ne manque pas de fierté : « On ne fera pas de moi un de ces débonnaires, à l'œil contrit, qui secouent la tête, s'attendrissent, soupirent, et cèdent aux instances des Chrétiens. » Si la *Shoah* est en germe dans la « comédie » de l'honorable Shakespeare (tous, à l'instar de Brutus, sont des hommes honorables), la force d'Israël a ses racines dans l'orgueil de Shylock refusant de courber sa nuque raide.

Excès de ma part ? Discours délirant ? Les éditions Fayard publient en 1987 *Sémites et Antisémites*, de l'universitaire américain Bernard Lewis. L'auteur cite, page 252, un article paru le 27 septembre 1982 (donc, préciserai-je naïvement, à une date postérieure à celle du voyage de Sadate à Jérusalem), dans le supplément économique de *Al-Ahrâm* ; on croirait qu'y résonne un écho des *Protocoles des Sages de Sion*, de *Mein Kampf*, ou d'une certaine comédie anglaise. Ecoutez voir : « Soyons très clair sur ce point : aucune distinction ne doit être faite entre Juifs et Israéliens. D'ailleurs eux-mêmes la réfutent. Un Juif est un Juif, et le demeure à travers les siècles... ainsi que le montre son mépris des valeurs morales et de la vie humaine : pour quelques sous, il est prêt à tuer et à boire le sang de sa victime. Le Juif, le Marchand de Venise [notez au passage la confusion avec Antonio], n'est pas différent des tueurs de Deir Yasin ou des camps de réfugiés. Les uns et les autres sont aussi inhumains. Laissons donc de côté ces distinguos et parlons des Juifs. » Qui délire ? Qui sombre dans l'excès ? Bizarre postérité de l'homme de Stratford-sur-Avon. Concert plutôt dément. C'est l'histoire humaine. La littérature humaine. Tout se brouille. Conte raconté par un idiot. Bruit et fureur. Qui en réchappera ?

Ainsi, mon petit camarade pourri Joseph se tenait sur le seuil de l'école, il comptait ses sous et il avait l'air on ne peut plus juif. Comme moi ?

Comme Shylock. Comme Isac Hakhabut. Je n'avais encore jamais vérifié dans ma vie, dans mes écritures, la justesse des opérations proustiennes de la mémoire affective, ou bien des procédures de Mauriac livrant la narration de ses *Mémoires intérieurs* à la gouverne de ses souvenirs littéraires. J'expérimente ici cette démarche, qui transgresse la chronologie et brise la linéarité des existences. Et je m'étonne avec un peu d'étourderie combien les images de l'enfance et les livres de la jeunesse demeurent en nous les sentinelles vigilantes de la cohérence de notre histoire, fût-elle en proie au chaos.

J'ai une prédilection pour Jules Verne. Peu après la mort de mon père, je l'engageai comme accompagnateur de mes nuits insomniaques. L'aventure ni l'improvisation n'étant mon fort, je puisai dans les *Voyages extraordinaires* une intensité de vie susceptible de me mener tranquillement au sommeil. Il en est issu un culte qui a résisté à l'accablement dont m'a saisi un des romans de Jules Verne, parmi les pires de toute la librairie française, pourtant riche en la matière. Dans l'ordre du mérite judéophobe, *Hector Servadac* recueille la palme de l'infamie ; devaient la lui disputer, plus tard et dans un contexte autrement funeste, les pamphlets orduriers d'un Céline, pour citer le plus talentueux. En remontant aux Pères de l'Église, il serait peut-être fécond de dresser l'arbre généalogique de l'antisémitisme écrit.

Réédité par Hachette dans sa délicieuse collection de poche (à laquelle renvoient les références ci-après), *Hector Servadac* date de 1877 ; le climat : celui qui précède les campagnes de Drumont, l'Affaire Dreyfus ; encore un peu de patience, et ce sera la catastrophe du judaïsme et de l'Europe. Dans son roman, Jules Verne campe un Juif, Isac Hakhabut, d'une noirceur sans nuance. A la laideur physique correspond la bassesse morale. Un seul mobile règle son comportement : l'appât du gain : « Mon argent ! mon argent » (p. 194), voilà les mots qu'on l'entend prononcer avant même qu'il se soit montré. Et aussitôt qu'il apparaît, il est étiqueté : "juif allemand" [cela rappellera quelque chose aux contemporains de mai 1968], et du plus vilain côté de l'Allemagne : « c'est un renégat de tous les pays et de toutes les religions. » Le voilà défini, enclos dans une essence maléfique, irrécupérable. Il n'y a plus qu'à lester, surcharger le portrait, comme sauront si bien le faire les propagandistes antisémites de la Belle Époque (ainsi nommée par antiphrase, je présume). En un paragraphe (p. 196-197), Jules Verne accumule les poncifs. Comment flairer cette engeance maudite ? Lisez : « Petit, malingre, les yeux vifs mais faux, le nez busqué, la barbiche jaunâtre, la chevelure inculte, les pieds grands, les mains longues et crochues, il offrait ce type si connu du juif allemand, reconnaissable entre tous. C'était l'usurier souple d'échine, plat de cœur, rogneur d'écus et tondeur d'œufs. L'argent devait attirer un pareil être comme l'aimant attire le fer, et, si ce Shylock... » La boucle est bouclée, retour au personnage d'une célèbre comédie, rira bien qui rira le dernier, de la rouelle à l'étoile jaune que de nobles et glorieux jalons, Shakespeare et Jules Verne donnent ses lettres de noblesse à la future exposition de Paris, et, s'il a un peu progressé, mon petit truand de Rueil a dû en prendre de la graine. Car même un illettré a toujours rencontré dans les fantasmes de sa famille ou de sa société de quoi fortifier sa bêtise.

Ainsi, de loin en loin, par intermittences individuelles ou collectives, nous crache-t-on au visage. Jusqu'à ce que le pire arrive. Ce crachat, c'est le commencement du pire.

La passion d'humilier n'est pas le propre d'un groupe. Ils sont légion à se disputer le monopole de l'inhumanité. Le goy et le juif peuvent avoir une pléthore de sadisme en commun. Ils affectionnent en particulier de sévir dans la zone anale. Je me souviens d'une maîtresse à l'école communale de Rueil. Son patronyme évoquait la silhouette de cervidés mâles. À son nom j'associe l'image aux traits tirés de nombre d'entre nous, à qui elle interdisait de satisfaire, durant les cours, et quelle qu'en fût l'urgence, les besoins naturels. La torture intestinale finissait par gagner l'organisme et diffuser une honte inhabitable. La récréation sonnée, nous nous précipitions vers les cabinets et nous gardions réciproquement les portes, qui se fermaient mal et laissaient, en haut et en bas, des espaces qui ne sont pas pour peu dans l'impression avilissante que je conserve de ces séances fécales. Tandis que l'un était accroupi à l'intérieur, l'autre suivait des yeux, avec une crainte féroce, la déambulation de l'institutrice à travers la cour.

Elle avait une rivale dans l'enceinte de la pension. Cette monitrice, A., occupe, dans la galerie de ma mémoire où se dressent, à demi estompés, les masques de mon enfance, une place éminente ; elle hisse haut la bannière de la confrérie des bourreaux. Ce qu'elle nous faisait subir m'obsède assez pour que je le relate par souci de la stricte vérité : Juifs et non-Juifs, une part de notre humaine nature (ou condition) recèle quelque chose de barbare uni à notre politesse, et l'on peut être tortionnaire le jour et musicien le soir — énigme vainement questionnée depuis 1945.

C'est à cause d'A. que longtemps pour moi les belles heures du sabbat commençant se sont associées à la séquence crue de la méchanceté la plus basse. Avant qu'elle ne survienne, le vendredi soir était, à Toulouse et à Rueil-Malmaison, synonyme de fête : ablutions approfondies, changement d'habits, communion des hymnes, lumières des chandeliers, repas plus raffiné qu'à l'ordinaire. Nous guettions l'apparition, dans le ciel nocturne, de l'étoile inaugurale, je ne sais plus si c'est la première ou la troisième. J'aime bien aussi qu'en langage païen vendredi, soir du sabbat, soit le jour de Vénus, déesse de l'amour qui me fait songer vaguement aux intrigues que nous surprenions parfois entre les adultes ; il y avait notamment ce moniteur follement épris d'une monitrice mariée ; une fois que nous allions aux douches, nous étions tombés sur elle en train de faire de la lessive et il avait tenu à ce qu'elle achevât sans se gêner pour lui qui, devant elle, s'était dénudé avec un évident plaisir ; je revois son membre viril à demi tendu ; elle se dépêche de finir et s'enfuit, rouge de confusion ; entre nous, c'est un sujet de conversation qui dure plusieurs semaines.

Débarque A. : le sabbat change d'âme, perd son âme, souille la nôtre, jusqu'à son départ, ou le mien, c'est flou. Elle manifestait en cette occurrence une inquisition très spéciale. Nous nous dévêtions dans le dortoir, chacun au pied de notre lit. Elle se mettait alors en branle, corpulente et cauteleuse. Il s'agissait pour elle

44

de nous anéantir moralement, comme si nous encombrions de façon indue son champ visuel. Elle s'arrêtait devant chaque lit, scrutait le tas des vêtements, happait le caleçon, le retournait, en examinait sans hâte le fond. Rares sont, parmi nous, ceux qui sont sortis indemnes de cette interminable fouille. Quand elle repérait, à cet endroit intime, la moindre trace suspecte, la moindre emprunte brune, A. se penchait, comme pour une bénédiction, et couronnait la tête criminelle de son malpropre sous-vêtement. Durant environ un quart d'heure, l'infortuné devait rester assis sur sa couche, courber le front et offrir aux autres le spectacle de son hygiène faillie, de l'immonde bestialité en lui. Analité, animalité : l'équivalence s'impose à moi de la façon la plus familière. En comparaison de ce supplice, le réveil pendant la circoncision et l'ablation des amygdales sans anesthésie me semblent d'à peine cruelles bouffonneries. Dans l'ordre de la souffrance, ce sabbat excrémentiel ne rivalise qu'avec la privation des parents, qui nous visitent tour à tour un dimanche sur deux et se servent de moi comme messager dans l'incessante guerre financière qu'ils se livrent pendant toutes ces années, au-delà même de leur divorce.

Pourtant nous fîmes notre salut. A celle qui, m'ayant mis au monde, m'y laissa beaucoup à l'écart d'elle, je dois deux réparations fondamentales. L'une est d'avoir refusé que l'on me posât, souffrant en bas âge d'une fistule anale, un anus artificiel. L'autre tient à la greffe qu'elle me fit de sa passion pour la littérature française. En quoi, défunte, elle est partie prenante de mon actualité de noirciseur de papier. Après la guerre, elle s'était inscrite à la Sorbonne ; j'ai passé plusieurs étés à recopier ses notes de cours à la graphie élégante. Elle était,

magnifiquement, une servante du Livre. La plus médiocre cuisinière juive de la chrétienté (la meilleure cuisine
juive, il y aura la goy de ma vie pour la faire), mais
une des plus grandes amoureuses du Livre que le monde
ait connue. Jusque dans la mort : dans son cercueil, à
l'hôpital Cochin, le premier septembre 1977, elle gisait
pareille à une momie toute de parchemin ayant rempli
son office. Tordu de douleur au-dedans, j'ai suivi, avec
son dernier mari et ma femme, le convoi vers le Père-
Lachaise et l'incinération. Nous n'étions que nous trois
en compagnie de sa dépouille illisible désormais.

Dans son invivable pays natal, mon père avait appris
le métier d'ébéniste ; sa patrie d'adoption en avait fait
un tailleur à façon ; autodidacte de la lecture, il rêvait
pour ses deux fils un avenir de comptables épousant
chacun l'héritière d'un riche patron tailleur. Convaincu
par nos résultats scolaires et l'éloquence de notre instituteur du cours moyen deuxième année, il seconda l'ardeur
de notre mère à nous inscrire pour de longues études.
C'est une des rares circonstances où je les vis d'accord,
eux qui ne se rencontraient jamais ensemble avec leurs
enfants et n'avaient de rendez-vous qu'à l'ombre des
avocats et des juges, effrénés à en découdre sans répit
sur les thèmes de la pension alimentaire ou du désaveu
de paternité que papa essayait d'obtenir concernant
notre sœur utérine (née mystérieusement à Vienne en
janvier 1945, dans cette Autriche antisémite sur laquelle
déferlaient les troupes soviétiques et qui défraie aujour-
d'hui la chronique en la personne de Kurt Waldheim.
L'unique confidence que maman m'ait accordée sur cette
période de sa vie, c'est celle qui a trait à l'épouvante
des femmes devant les soldats russes avides de viol ; une
fois, me dit-elle, elle n'y avait échappé qu'en sautant
par la fenêtre, alors qu'elle était déjà enceinte de notre
sœur.)

L'espérance m'inonda lorsque je vis mon père pénétrer, au printemps 1952, dans la cour de l'école ; cette manière de se mêler à, de se mêler de notre vie était d'autant plus bouleversante qu'elle représentait quelque chose d'inconcevable la veille encore. Elle semblait sceller pour le meilleur notre avenir, la poignée de main qu'il échangea avec notre bon instituteur en blouse grise. Monsieur Vaugelade avait les doigts jaunis par la cigarette et une physionomie indulgente ; souvent il nous a séparés, Juifs et Gentils, combattants de cette guerre intestine poursuivie en vertu d'un héritage ignare, puéril et opiniâtre. Le salut par l'étude : il était, comme notre mère, de ceux qui y croyaient et c'est à ce titre qu'il nous encouragea dans cette voie susceptible de faire naître une profession, une vocation. Il y a trente-cinq ans de cela : noyé de gratitude, je fleuris son cénotaphe dans ma tête. Et s'il respire encore, quasi centenaire, je lui dédie ces quelques lignes reconnaissantes.

C'est à l'occasion de l'établissement de notre dossier pour l'examen d'entrée en sixième que je découvris mon patronyme intégral : Koster Vel Kotlarz. En se complétant sur le papier, mon identité civile accroissait le sentiment de la singularité de nos origines. Jacques B., l'époux de ma conjecturale cousine Berthe, m'a éclairé sur Kotlarz qui, comme je l'ai déjà dit, en polonais signifie chaudronnier. Mais *vel* ? Est-ce le mot « ou » du latin, rendant ambiguë notre désignation ? Ou bien une déformation de l'ibérique *del*, qui nous ramènerait à l'errance consécutive au décret d'expulsion de 1492 ? Allez savoir qui vous êtes, dans ces conditions !

Personne mieux que Georges Pérec n'a exprimé cette « inquiétante étrangeté » de notre sort. Je réciterai ici, en guise de kaddish, un passage de ses *Récits d'Ellis Island* :

« Je ne sais pas très précisément ce que c'est
qu'être juif
ce que ça me fait que d'être juif.

c'est une évidence, si l'on veut, mais une évidence
médiocre, qui ne me rattache à rien ;
ce n'est pas un signe d'appartenance,
ce n'est pas lié à une croyance, à une religion,
à une pratique,
à un folklore, à une langue ;
ce serait plutôt un silence, une absence, une
question,
une mise en question, un flottement, une inquiétude :

une certitude inquiète,
derrière laquelle se profile une autre certitude,
abstraite, lourde, insupportable :
celle d'avoir été désigné comme juif,
et parce que juif victime,
et de ne devoir la vie qu'au hasard et à l'exil. »

Ces paroles jettent un pont par-dessus l'abîme de
mon enfance, elles réunissent dans une même vision
ma mère emplissant ses cahiers d'étudiante, mon père
et l'instituteur se serrant la main dans la cour de l'école,
mon frère Alexis s'écriant, de l'autre côté de l'Atlan-
tique, devant notre sœur Ange qui l'informe de la rédaction de ce récit : « Mais c'est mon enfance ! — C'est la
sienne aussi. », lui répond-elle, tandis que rôde le fantôme de Pérec, rencontré peu de temps avant sa mort,
lors d'une soirée chez une amie : il m'étreint, un peu
ivre et son visage rayonne de bonté.

DEUXIÈME PARTIE

Je ne le suis pas ?

(1952-1967)

Dans les intervalles, je me livre à ma déclinaison préférée :

Ioudaïos, Ioudaïoi
Judaeus, Judaei
Juif... Juives !
Toujours le féminin est omis. Je répare.

Si, de nouveau enfermé contre votre espoir, vous voulez prendre vos jambes à votre cou, sans en pouvoir mais ? Vous vous mettez à courir après votre famille, sur place. Et que rattrapez-vous ? Vous rongeant les sangs, des images mélancoliques, qu'aucune gloire, future ou fictive, ne saurait ensevelir. Par exemple : à partir d'une certaine période, à la Malmaison, ma mère était accompagnée, un dimanche sur deux, lors de ses visites, par un homme qui devint son dernier mari et le père de Jean-Marc, mon jeune frère utérin. Devant tout le monde cet homme appelait ma mère « chou-chou ». Cette marque d'affection m'apparaissait détestable. Une fin d'après-midi, tous deux avaient pris congé, je me souvins d'un oubli à leur endroit. Je me ruai vers le portail, la petite porte latérale était ouverte, je la franchis et me retrouvai dehors. Je tournai la tête à gauche, ils étaient déjà à une cinquantaine de mètres et marchaient enlacés, s'embrassant. Je voyais tout de dos. Je revins sur mes pas, muet d'horreur et de honte.

Lorsque, pensionnaire boursier au lycée Lakanal depuis l'automne 1952, et enrageant de cette situation, je sentais affluer de semblables réminiscences, j'avais envie de foutre le feu aux murs, rêvant de périr moi-même dans cette combustion avec des centaines de corps calcinés sur le lieu du désastre.

À présent, resurgit parfois un rêve ultérieur de ma mère dans les ultimes années de sa vie; non pas un rêve nocturne, jamais elle ne m'a confié le contenu de ses cauchemars : mais un souhait émis tout haut devant moi, au début de sa maladie : mourir en avion au-dessus de l'océan, par impossible seule dans l'appareil, sinon tant pis pour les passagers. Ce voyage décisif ne s'est pas produit. J'avais hérité, un quart de siècle avant sa disparition, de ses chimères funèbres : chute, incendie, dépression, perte. Aujourd'hui, la plus infime déviation du cours des choses me désarçonne. J'aime bien me tenir tranquille. Si on ne bouge, l'écume du deuil cesse d'onduler. Illusoirement, bien entendu. C'est toujours de sa place bien tranquille qu'on est atteint par le malheur. J'étais en classe et en vacances quand j'appris les décès, en 1970 et 1977, de ceux qui, tout amour pour nous, nous avaient néanmoins lâchés à travers les corridors des internats. C'est pourquoi, souvent, ces années anciennes se présentent à mon esprit sous l'apparence d'un tunnel qui n'en finissait pas, alors.

Durant vingt ans je fus l'individu que Hannah Arendt décrit dans un texte de 1943, « Nous autres réfugiés », qui figure dans son livre *La tradition cachée*, sous-titre : « Le juif comme paria ». L'essentiel se condense en ceci : « Quoi que nous fassions, quoi que nous feignions d'être, nous ne révélons rien d'autre que notre désir absurde d'être autres, de ne pas être Juifs ». Réfugié, paria, en 1952, dans le nid douillettement spartiate d'un internat de lycée ? En effet : sur le mode mineur, si l'on veut, mais me déniant comme Juif avec une si farouche inauthenticité que je me condamnais à l'aliénation et à l'exil et qu'ils furent ma seconde nature durant toutes ces années parmi de petits Chrétiens sûrs de leur fait. Depuis Pâques 1985, je sais comment j'étais juif en ce temps-là. Un voyage en Espagne m'en a fourni la métaphore. Dans certaines villes d'Andalousie, telle Cordoue, le quartier qu'on appelle *juderia* dessine le réseau de ses ruelles obscures, blanchies et retirées au centre d'une vaste houle de bruit qui le cerne sans l'atteindre, par le prodige d'une invisible barrière de désespoir confinant à la sérénité. C'est ainsi que j'étais juif : une boule de mutisme au milieu du vacarme. Ma juiverie, à l'intérieur du groupe et de ma poitrine, comme un énorme et onéreux silence. Creusant son trou en moi. Faisant de ce noyau en moi un trou noir sur le modèle astronomique, tant sa vitesse d'échappement enfermait sa lumière, qui rayonnait sombre, et presque absente.

Comment les autres font-ils pour deviner votre secret ? Possèdent-ils un appareil de détection ? Mon cri de dénégation, tourné au-dedans, réduit aux limites de ma cage thoracique, éclatait-il en ondes dont le code d'ébranlement et de propagation était connu de certains, entraînés à cet exercice par les antennes de la phobie ? Je devais incarner un NON dont la véhémence était à la mesure de mon sentiment d'accusé. Accusé ? À peine franchi le portail de l'ancienne pension, j'avais banni toutes pratiques et croyances juives, sauf une : ta juiverie est une faute inexpiable. Circonstance aggravante : le crime de mes parents qui, en m'ôtant de la communauté et en me plongeant dans un ordre laïc à prééminence catholique, avaient exacerbé en moi (pour mon frère, je ne sais) l'état d'une singularité inadmissible. J'en étais convaincu : on me sommait d'avouer, de m'expliquer, de me justifier. C'était comme si mon identité me trahissait, refluait vers autrui ; l'autre ne pouvait être qu'un protecteur (monsieur Vaugelade) ou un agresseur (il va bientôt se démasquer). Pendant deux décennies, un moi intempestif, orgueilleux, revendicateur, ne s'est perçu que par rapport à deux pôles, idôlatrie ou persécution : la personne qui jouait un de ces rôles devenait le dépositaire, pis : la caution de mon identité, la garantie de mon existence. La hantise de l'autre fut en quelque sorte l'envers (l'enfer ?) d'un égocentrisme frénétique. La culture étant ma seule monnaie d'échange, c'est à l'école que tout se noua, se joua, ensemble compensant et consommant la peur de la rupture et de l'exclusion. À l'instar de l'homme sur sa croix, j'aurais pu m'écrier : Père, pourquoi m'as-tu abandonné ? Et toi, Mère, qu'as-tu fait du contrat ? (Depuis que j'ai entrepris de faire joujou avec ces histoires, j'ai, à plusieurs reprises, subi en rêve la visite de mes parents, une nuit l'un, une nuit l'autre, et tous deux dans la même situation de pauvreté, de maladie et de dépendance à mon égard. Ils sont à ma charge, ils exigent de moi leurs subsides et ma sollicitude. Ne suis-je pas à la hauteur de leur attente ? Ils mobilisent, à travers mon sommeil, un pénible sentiment de culpabilité, qui m'encombre au réveil, et grossit à l'approche de l'anniversaire de la mort de ma mère, le 24 août. Si on m'impute à faute l'absence de pèlerinage au colombarium du Père-Lachaise, je répondrai que peu importe à ses cendres dans l'urne tandis que de son vivant je fus le seul de ses enfants à faire face pendant de longues semaines, mes frères et sœur étant retenus en Amérique. Ou bien dois-je décrocher le téléphone et quémander : « Allô, docteur Freud ? ».

Quelqu'un avait donc deviné mon secret. Avec une promptitude qui me laisse encore pantois. Il se nommait monsieur Couci, ou Kaki, ou Cui-Cui, enfin son patronyme semblait être le pastiche d'un cri d'oiseau, sujet à moqueries sévèrement punissables, ce dont mon frère et moi nous gardions avec prudence, par instinct, sachant plus ou moins que le sarcasme contre le nom précède souvent de peu l'outrage à la personne. Ça a beau être loin, tout cela, à le proférer je le revis tel quel, à cause de ce froid acharnement que cet homme mettait à nous apprendre le dessin, alors que mon frère et moi devions être les plus exécrables apprentis dessinateurs que le lycée eût hébergés dans ses salles : encore aujourd'hui, l'impuissance à représenter figurativement est une propriété quasi pathologique de ma main. C'était une de ces mornes séances forcées où il s'agissait de restituer sur la feuille blanche, en vue de la note trimestrielle, une feuille morte de cette fin d'automne. Un objet simple, prosaïque, élémentaire, et je le fixais avec un désespoir croissant au fil des minutes. Les deux feuilles paraissaient receler des antagonismes repoussants. Je tente de tracer le contour de la chose et, tout tremblant, je vois s'inscrire sur le papier une ligne burlesque qui grimace à mon adresse, comme un chapeau de clown. Atterré, je jette les yeux à droite et à gauche et ne perçois que des surfaces qui se brouillent. Quand je quitte la feuille d'automne, la blouse grise du professeur raye méchamment mon champ de vision. Je m'obstine, je m'escrime et me retiens d'enrouler sur mon papier ce zéro destructeur, suicidaire et si séduisant, que mon travail mérite. Bien des années plus tard, devant des toiles fameuses, la *Vue de Delft*, *Les Ménines*, *Guernica*, *L'Enterrement du comte d'Orgaz*, j'ai contemplé, sidéré, ma jouissance, sans la comprendre, poursuivi par le regret de ce temps perdu au cours de dessin, où l'on vous contraignait à essayer d'acquérir un talent étranger au lieu de vous initier aux chemins de la peinture. Maintenant que j'enseigne les lettres, ma certitude est établie : loin de nuire au plaisir, l'explication du texte multiplie ses sortilèges.

Ma nullité devait faire tache. Au bout de j'ignore combien de temps, il se passa quelque chose. La station du maître s'éternisait dans mon dos. Je n'osais bouger la tête. Une rougeur brûlait ma nuque. Coulant un regard vers mon frère, je vis qu'il faisait semblant de rien. Enfin j'entendis qu'on m'ordonnait de monter sur l'estrade. Je m'exécutai. Là, au lieu de saisir le morceau de craie et d'étaler au tableau noir mon insuffisance, je croisai les mains dans le dos, face aux autres, pétrifié dans ma blouse bleu foncé, suivant à l'oreille le déplacement de mon tortionnaire à travers la pièce. Soudain il proféra mon nom. Je tournai la tête vers cette ombre grisâtre, un pâle sourire flottait sur ses lèvres, je croyais vivre la séquence inédite d'un feuilleton vaguement irréel, à la place du public un trou retentissant des respirations suspendues, et plus de frère, plus de famille nulle part, plus personne pour porter secours. « Tu es israélite, toi. » Ainsi prononça tout à coup monsieur Couci, ou Cui-Cui, ou je ne sais plus, mais un être humain, magistral, mortel, de la même espèce que moi, peut-être, j'avais cru, mais non, erreur : « Tu es israélite, toi. » Y a-t-il un autre Israélite dans la salle ? Je ne me souviens d'aucune réaction de personne, de rien, sinon de la réplique qui sortit tout bas de ma bouche : « Non, monsieur. » Une sorte d'évanouissement debout, lucide. « Mais si, tu l'es », dit-il avec douceur et fermeté. Et ensuite ? Impossible de me souvenir. Le film s'interrompt. Pas un seul spectateur protestataire pour crier : « Remboursez ! Remboursez ! » sur l'air des lampions. Non. La séance se termine en eau de boudin dans ma mémoire. Mais je ne me résigne pas : de très profond clabaude une voix dans l'étau de ma boîte crânienne. C'est quoi, son ressassement ? Ah oui : « Je ne le suis pas, je jure que je ne le suis pas. » Bis. Ter. Faites-la taire ! Comment lapider une voix ? Bouclée à triple tour, elle gueule de plus belle. Avec ça, pas une larme à verser sur ce saccage. Alors je marchais en rond dans la cour, je tournais le long de la circonférence du zéro de mon être, et puis j'inversais le sens de ma marche, comme si de ce cercle parcouru à rebours dans une idiotement mystique répétition pouvait naître la figure de mon salut. Mon schisme avec le monde était complet alors que le monde était requis pour légitimer mes choix. Puisque je me remarquais moi-même, il était inévitable que la faveur des dieux se fixât sur ma tête. Cercle magique et maudit d'une chasse aux chimères. Sans les interruptions de la sonnerie, j'aurais tourné ainsi vingt-quatre heures sur vingt-quatre, actionnant, comme l'âne égyptien au bord du Nil, cette délirante noria des puits à sec. Est-ce de ce temps que date mon amour des ânes ? Le malfaisant qui bâte un âne, je crie malheur à lui.

En vérité, il y avait bien à cette période de mon pensionnat un partage des âmes : par le biais des cours religieux, par le biais des séances de cinéma, jeudi matin et jeudi après-midi. S'excepter du catéchisme, c'était s'exhiber profane ; préférer l'étude au film, c'était s'avouer très pauvre, car il n'en coûtait à l'époque que l'équivalent de cinquante centimes actuels. (Si je ne m'abuse, étant aussi peu doué que Shylock en ces matières.) Et quand, par extraordinaire, je pouvais m'offrir une place, le mode d'emploi se révélait désastreux. Un des rares films à la projection duquel j'assistai, *Maître après Dieu*, raconte l'odyssée de Juifs sous la houlette d'un capitaine de bateau ivrogne et paillard (interprété par Pierre Brasseur ?). Bientôt, un certain manège attira mon attention dans l'obscurité. Un de mes voisins ne cessait de se pencher vers un de nos camarades du rang précédent et de lui chuchoter cette phrase sibylline : « Ce sont tes frères, hein, W., ce sont les tiens ! » W., un Juif ? L'idée ne m'en était pas venue. Pas plus que celle, à la sortie, de me faire reconnaître de lui. C'est que, persuadons-nous : je ne l'étais pas, je ne le serai pas, point, à la ligne. Je dirai à quelle circonstance récente je dois d'avoir repêché l'anecdote. C'est en lisant, le 28 mai 1987, le compte rendu du procès Barbie et notamment le témoignage de l'infirmier, M. Reifmann, sur la rafle des enfants d'Izieu. Il relate une démarche des directeurs de la colonie auprès de l'évêque, Mgr Costa de Beauregard : « Son secrétaire nous avait reçus gentiment et pensait que l'ecclésiastique nous serait certainement compatissant. Mais quand il s'est présenté lui-même et que j'ai expliqué ce qu'on espérait de lui, il m'a répondu : « Mais comment voulez-vous qu'on mélange ici des enfants juifs et non juifs ? » Il y a quelque chose de terrifiant dans cet argument : ne pas mélanger. Et moi je me mélangeais. Et il ne fallait pas que cela se sût. Je pratique le télescopage des dates et des événements ? Certes. Mais cette tentation vertigineuse est le propre même du temps juif :

l'empire du christianisme a réussi ce monstrueux prodige d'infliger à chaque Juif de tous lieux et de tous
temps une solidarité aberrante dans l'ordre de la douleur. Là est peut-être une cause de mainte tristesse juive.
Il arrive qu'elle jouxte la haine de soi. Cette tristesse
et cette haine, je les ai ressenties au lycée, moi qui
tenais la tête sous l'eau à ce moi juif pour empêcher
son aveu, je les ai ressenties en voyant un de nos surveil-
lants d'internat, appelons-le Cohen s'il s'appelait Lévy
ou vice versa, se rendre le dimanche matin à la chapelle,
son missel sous le bras, à son aise parmi nos condisciples catholiques qui riaient de lui, tandis que mon frère
et moi bifurquions en direction de la cour ou de l'étude,
seuls à attendre la fin de la messe. Ce pion, comme
plus tard Albert Cohen avec ses Valeureux, m'aurait
rendu antisémite, si cela avait été possible. Les hystéri-
ques inventions de la réalité, quand elles coïncident
jusqu'à la caricature avec celles de la fable, m'annon-
cent toujours le message d'une déchéance.

Déchu, je l'ai souvent été, à titre symbolique. Les
symboles ne sont pas des hallucinations. Ils appartien-
nent au réel avec une charge qui rend encore plus
écœurante la prose adjective des imbéciles. Croirait-on
que le vocabulaire puisse à ce point vous martyriser?
Ce fut longtemps, c'est encore mon cas. Les racistes,
même inconscients, savent qu'en profanant la langue
ils portent atteinte à l'intégrité de l'individu.

Tu es israélite, toi. D'accord. C'est un terme fort
courtois. Il n'écorche pas la langue. Donc, ça ne vous
blesse pas? Non, pas vraiment: sauf que je préfère
qu'on dise juif. Pour moi, israélite sonne comme une
cochonnerie hypocrite, vous souffrez d'une maladie
dont on prétendrait amoindrir la gravité en changeant

sa nomenclature et du coup israélite rime avec mastoïdite ou balanite, une variété d'inflammation, en somme, oreille, gland, identité, c'est toujours une zone vitale qui est lésée, et les lésions de ce genre, les bon< «Israélites» bourgeois des années trente-quarante qui répugnaient à accueillir leurs «congénères» d'Europe centrale n'ont pas tardé à en récolter les fruits pourris et mortifères.

Dans ces années de dissimulation, ce qui me tuait, ce n'était pas un adjectif, mais un verbe: «juiver». Et impossible de prévenir: attention, fragile, ni, le pouce levé, de faire de l'auto-stop pour prendre le large; cela aurait plutôt été le pouce en bas, comme autrefois, dans l'arène, pour la mise à mort. «Juiver» est un des chancres crus sur le terreau de mon amour de la langue française. Les guillemets n'ont aucune valeur curative. Contre la déflagration que le mot provoque en moi, nul exorcisme.

«Juiver» faisait invariablement son apparition au réfectoire, comme sous l'effet d'une consigne dont personne n'aurait su désigner l'auteur, qui n'était que la voix défoulée de la tradition. Nous composions des tablées de huit, soit deux groupes de quatre assis vis-à-vis. D'emblée et pour le reste du temps scolaire, les places étaient investies selon des rapports de forces aux paramètres divers (ascendant social, ancienneté, maîtrise des disciplines où votre excellence était monnayable). Ceux qui siégeaient en bout de table ne manquaient pas d'être spoliés. C'est alors que, protestant contre l'injustice vorace qui le privait de sa part, tel ou tel se défendait par le jet d'une expression qui infusait son venin dans mes entrailles sans que rien en parût sur ma physionomie: «Salaud, tu juives!» «Eh, les gars, arrêtez de juiver!» «Le prochain qui me juive, je lui casse la gueule ! » Etc. C'était dit sans intention de nuire sinon à celui qui à cette minute ne se définissait que comme voleur de nourriture, jamais je ne commettais ce genre d'abus, et pourtant c'était moi que « juiver » pourfendait de sa sifflante diphtongue comme une lame enduite de poison perforant ma poitrine et mon ventre. L'abaissement de l'homme commence avec la manipulation du langage et celle-ci commence dès le berceau. Si plus tard j'ai voué un culte à Francis Ponge, c'est parce qu'il fut le premier que je vis décrasser la langue française de cette lie dans laquelle elle trempe chez la plupart de ses usagers. Quel sang d'encre « juiver » me fabriqua de 1952 à 1959 ! « Juiver » a disparu de mon actualité. Mais si je feuillette le tome 5 (Grim-Lil) du dictionnaire Robert de la langue française (somptueux cadeau de Michel T. pour Noël 1986, jour de naissance de Ieschoua, ou Jésus), quels mots m'agressent vilainement ? le mot « juiverie », agrémenté de citations vulgaires ; « Judas », qui désigne « une personne qui trahit » ainsi que la « petite ouverture pratiquée dans un plancher, un mur, une porte, pour épier sans être vu ». La suppression absolue des Juifs à la surface de la terre ne supprimerait pas la judéophobie : le ver est dans le fruit, à la racine même de la langue. « Mort aux Juifs » fonctionne tout seul, à vide, en dehors de toute référence. Jeune, je niais l'être ; à maturité, je m'y affirme. Peu importe : pour se prouver supérieur, il suffit à celui qui ne l'est pas de me traiter comme l'étant, et cela clôt le débat. Commence, imaginaire, raffiné ou brut, le combat.

Le latin et le grec furent pour moi les substituts du yiddish. De ce point de vue, je n'appartenais déjà plus à ce peuple dont j'avais perdu la langue avant de naître.

Ma mère nous fit apprendre l'allemand : s'agissait-il de nous aider à apprivoiser une langue qui fut pour elle source de tant de frayeurs en même temps que parente de ce yiddish que ses fils ne sauraient jamais ? Quand Papa et Hanna voulaient nous larguer de la conversation, ils parlaient yiddish et nous voilà débarqués, mon frère et moi, sur une île déserte, en plein naufrage. Je n'ai un peu rejoint le continent englouti qu'à travers les livres de Saül Bellow, Joseph Heller ou Philip Roth et les films de Woody Allen, et encore, côté romans, grâce au glossaire en fin de volume, dont je me repais un peu vicieusement, tel un adolescent juste pubère : *meshuggeneh* « fou », *shikse* « femme non juive », *tuckès* « cul » (à moins que ce ne fût *tsourès* ou *tsorès* « soucis », plus conforme à leur image ou langage). Pour être honnête, seul le premier de ces mots en quelque sorte sourds-muets est sorti intact du congélateur de ma mémoire, où il est probable que les autres ont été enfournés très ultérieurement, par une coquetterie puérile. A vrai dire, l'unique épave qui flotte encore sur ces eaux pleines d'un égarement enchanteur, c'est celle du prénom de mon père, Srul Szulim, — la paix soit sur son ombre enfouie. Je ne dissocie pas de lui sa compagne Hanna, à qui je suis redevable de ma petite madeleine proustienne, cette boulette au bouillon dont j'ai évoqué l'immémoriale saveur dans mon livre de commencement, issu de leur disparition, et pour m'y accommoder, et les arracher à l'oubli par la gloire du verbe. Pure illusion : « Je sais aujourd'hui que c'est une tentative sans espoir de revêtir un homme de mots, de le faire revivre dans une page écrite (...), de lui il ne reste rien : rien, justement, que des mots. » De qui, ce constat ? De Primo Levi, dans *Le système périodique*. Je me souviens d'une photo de lui comme un air de ressemblance grave avec mon père. C'est peut-être subjectif. La subjectivité est-elle l'ennemie de la vérité ? Je me souviens d'un article au titre poignant, « Ulysse à Auschwitz » : Danièle Sallenave entonne l'hymne funéraire de cet écrivain qui, rescapé de « l'anus du monde », jette l'éponge, quarante ans après, en abandonnant son corps à la pesanteur d'une cage d'escalier. Voilà un juif errant qui se tue dans la maison où il est né. Son nomadisme a duré le temps de la déportation. Il a survécu au pire et puis il cède à l'endroit du cocon. Mystère, splendeur et deuil. Comprendre ? Je déclare forfait. Je n'ai pas connu cet homme qui ressemble ou ne ressemble pas à mon père. Je continuerai à le lire. En ouverture du *Système périodique*, il a inscrit un proverbe yiddish : « Ibergekumene tsores iz gut tsu dertseylin », qui se traduit : « C'est un plaisir de raconter les ennuis passés. » Était-ce le plaisir de Papa et Hanna lorsqu'ils s'isolaient de nous pour se livrer à cet idiome qui parfois me manque ? Comment savoir à présent qu'ils ont été pulvérisés et gardent à jamais le secret ? Tentaient-ils de donner un sens à la catastrophe qui anéantit tous les leurs ? Comment savoir ? Et, faute de savoir, je me retourne vers les livres, j'y cherche des réconforts, des jouissances et des leçons.

Exercer le métier de professeur.
Epouser une belle femme blonde.
Devenir écrivain.
Si je contemple à reculons cette étendue de temps, analogue à une surface liquide où se reflète la vaste noirceur des trous du ciel en son incohérence, ce qui émerge des profondeurs entre les parois de la tristesse, c'est ce chandelier à trois branches, c'est cette triple

étoile scintillant parmi les nuées de mon imagination, le jour où elle m'assigna ce fabuleux programme...

Dans l'intervalle, parfois, notre père nous emmenait à la piscine de la Butte-aux-Cailles, place Paul Verlaine, dans le treizième arrondissement, où il habitait. Dans la cabine, il se rendit compte de la lenteur de nos gestes et s'impatienta de nos hésitations à nous dévêtir devant lui, qui nous avait faits et n'était pas différent de nous. Il découvrit que nous savions nager. Puis il nous apprit à jouer aux échecs et très vite nous gagnâmes, ce qui sembla lui causer une grande satisfaction. Ces lueurs brillent encore longtemps après la fin de cet interminable hiver à quoi mon enfance s'identifie quand je tâtonne en quête de ses vestiges.

Pour que l'avenir avalât plus vite ces années vouées au chaos, je cultivais, de manière littéralement fanatique, deux ersatz de l'amour : l'accès aux livres, le recours à l'amitié. Ma promotion passait par l'oubli de moi qui voulais lire et avoir des amis. Si j'accélère un peu le cours du temps, je dirai que deux personnages mythiques ont fasciné ma jeunesse : Montaigne et Proust, ces demi-Juifs résolvant la question ancestrale chacun à sa manière et me présentant dans le miroir le modèle propre à m'en sortir. Ma gloire future germait sur le fumier de mon enfance. Ecrire, ce serait comme eux s'accomplir dans la langue française sans être un renégat, mais en conciliant, à travers une allusive dialectique, les origines, le lieu d'élection et la noblesse du nom propre. Avec mes livres, et à l'inverse d'Alceste, je brûlerais de cette vocation : être reconnu l'ami du genre humain. Je me haïssais si fort que pour me déprendre de moi il me fallait l'éblouissement exemplaire de l'autre. J'avais à résoudre deux problèmes : comment être autre que soi ? Et comment être soi ? La manie de citer me vient de cette rage d'imiter pour me trouver.

Lagarde et Michard, Malet-Isaac. Pour le candidat à la supériorité, ces figures gémellaires et tutélaires rayonnaient d'une puissance dont il était urgent de se saisir pour espérer pénétrer dans le cercle magique de la culture française. Je vous salue, douaniers, capitaines, maîtres des faits et des mots, ou quelque nom déférent et burlesque dont il vous convient de vous affubler ! Je vous salue et remercie le plus sérieusement du monde, car vous m'avez fourni les passeports sans lesquels je n'aurais jamais fait connaissance d'Henri IV et Sully, Pantagruel et Panurge, Remus et Romulus, Quichotte et Pança, Colbert et Louis XIV, Corneille et Racine, Voltaire et Rousseau, Napoléon et Bonaparte, Bouvard et Pécuchet, Laurel et Hardy, et tant d'autres jumeaux dont j'imagine aisément l'humanité à travers le prisme de mes souvenirs d'étudiant : car je les approchai, les célèbres duettistes du manuel scolaire, Lagarde fut mon professeur de lettres en hypokhâgne à Louis-le-Grand, je me souviens d'un homme érudit et bienveillant, et son compère Michard était membre du jury de l'agrégation de grammaire devant lequel je me présentai en 1966, et nous récidivâmes, lui et moi, dans les contacts les meilleurs lorsqu'il m'inspecta en 1974, tout se passa très bien, je n'en doutais pas déjà vingt ans auparavant, et je n'en doute pas plus vingt ans après, encore et toujours sous le charme non de jumeaux, mais des mousquetaires de Dumas, etc., — et je me rends compte tout à coup que les femmes sont absentes de ce palmarès, à l'image de mon aride enfance, où la seule aventure, c'était la lecture. À part ça, soyons clair : je ne voulais pas l'être. Quoi ? Eh bien, ce dont il s'agit : juif.

Lire le plus vite le plus grand nombre de livres, c'était la compétition qui se déroulait entre moi et l'autre en moi. « Femme à bâbord ! » crie alors la vigie du haut de son mât. Qui donc ? Simone de Beauvoir. En même temps que *La joie*, de Bernanos, ma mère mit entre mes mains, pour conjuguer le christianisme et la sexualité, je présume, *Le deuxième sexe*. De sorte qu'à ce chef-d'œuvre féministe je dois quelques-unes de mes premières manipulations intimes, lesquelles redoublèrent quand je pus parcourir en cachette *L'amant de Lady Chatterley*. C'était une spécialité maternelle, ces précoces initiations : dans les années cinquante, la compagnie Renaud-Barrault, sise au théâtre Marigny, joua *Pour Lucrèce*, la pièce la plus complexe, probablement, de Giraudoux ; si je ne me trompe, mon frère et moi étions les seuls représentants de notre tranche d'âge, et les spectateurs, au moment de la sortie, nous observaient comme deux poivrons rouges dans une coupe de crème Chantilly. Coupés de l'affection et de la propriété, nous jouissions de l'art ; pour en posséder les trésors, Maman, toujours fauchée, se révélait une magicienne ; je me demande encore comment elle fit pour assister à un gala de la Callas à l'Opéra de Paris vers 1960. Pour mes livres, nul obstacle : nous avions les bibliothèques et je ne l'ai jamais vue sans un ouvrage à la main ; la moindre halte lui était occasion de lecture, le visage perdu dans les volutes montant de sa cigarette, sa main déployée en éventail, le pouce contre le menton. Je ne fumais pas, je lisais deux à trois livres par semaine et si j'ai gardé souvenir du roman de Bernanos,

c'est parce qu'il offrait du catholicisme un reflet fasci-
nant, torturé, inouï. A la limite de l'inintelligible de
mon point de vue, *Un crime*, *Monsieur Ouine* me sug-
géraient que les Juifs et les Chrétiens avaient quelque
souffrance en partage, sans que j'en démêlasse les te-
nants et aboutissants. L'un assume le Christ et la douleur du monde, l'autre a celle-ci tatouée dans la chair
de son âme, c'est plus ou moins un survivant, un rescapé, il pourrait, il voudrait peut-être se contenter d'acheter son journal, les narines humant l'air béni de la vie
au jour le jour, impossible pourtant, il y a toujours un
Nom manquant et cette absence est un abîme.

Je ne voudrais pas faire pleurer dans les chaumières
ni tirer trop sur la corde ou sur le pianiste. La privation
affective et la détresse juive s'effaçaient derrière nombre
de lectures. Avec Alexandre Dumas, par exemple, nul
problème, et si Athos ou le vicomte de Bragelonne
m'ont ému, c'est pour les mêmes causes, romanesques,
aventureuses, que celles qui arrachent des larmes lors
de la montée de Julien Sorel à l'échafaud. Rien à voir
avec l'émotion qui me saisit lorsque je découvris, à
l'âge adulte, la *Vie de Henry Brulard* et ce passage où
le narrateur dit : « Je voulais couvrir ma mère de baisers
et qu'il n'y eût pas de vêtements. » Là, pour un enfant
de ma situation, pleurer, sangloter eussent été de saison. Et je défie de trouver une ligne antisémite chez
Stendhal, parce que c'est une question de l'esprit.
« Bonne inscription », comme disent les Juifs lors du
souhait de bonne année, ce sera mon salut et mon
hommage à Beyle si un jour nous nous croisons (le
plus tard possible, Seigneur !) du côté des Champs-
Elysées (où lui tout du moins je ne doute pas qu'il
séjourne dorénavant). Quant à un esprit de la trempe
de Bernanos, il m'a fallu la lecture ultérieure de Jules

Isaac pour comprendre l'origine de la contagion judéo-phobe. Jules Isaac, je l'imagine en prophète, tel que Michel-Ange a campé Moïse, et je l'associe mystérieusement non point à Malet du manuel d'histoire, mais au poète André Spire ; dans ma bibliothèque, ils jouent un peu le rôle de parrains spirituels. Si on me reproche de confondre les dates dans cette recherche du passé, et de bâtir des bibliothèques en vrac, je ne me défends pas : la restitution de ce passé s'effectue selon un sentiment d'illogisme qui affecte les rouages de la mémoire, travaillée en vue de répondre à la question obscure : est-ce mal d'être juif ?

Une ou deux syllabes du mot de l'énigme, Jules Isaac me les dévoila dans sa *Genèse de l'antisémitisme*. La corne de brume déchire les ténèbres, le navigateur se jette tout de même sur les récifs, au moins est-ce en connaissance de cause. Que nous apprend Jules Isaac ? Il suffit d'énumérer quelques propositions : « l'enseignement du mépris » dispensé par le christianisme ; le « système d'avilissement » construit au fil des siècles par l'Église ; « la mentalité profondément antisémite du monde chrétien » ; les liens lointains et « objectivement » probables entre le christianisme et le nazisme, bien qu'eux-mêmes antagonistes ; les statuts d'exclusion, du Moyen Âge à Vichy ; l'interdit de l'assimilation, le reproche de la non-assimilation, l'impossible alternative où l'on enferme les Juifs, victimes du soupçon de complot au sein de leur abaissement ; l'union des textes et des techniques, du verbe et de l'industrie, tout au long des siècles, aboutissant à la solution finale : il faut être très fort, au cours de vingt siècles où on enfonce le clou, pour sortir indemne de la propagande qui fait de vous le bourreau ou le supplicié. Ces réflexions, demeurées confuses en ces années de lectures et d'apprentissage où je me gardais d'être moi et de m'avouer moi, ne rejoignent leur sens que depuis que j'ai entrepris ce récit. Je croyais qu'écrire pour en savoir plus était un leurre : je me trompais. Je repense à ce roman que je publiai en 1982, *L'homme suivi*, d'une inconsolable noirceur, d'une insondable dérélicion, et dont le sujet était : qu'est-ce qu'être juif sans l'être tout en l'étant? Le meurtre et le suicide avaient été la double réponse. Pas de solution de l'énigme. Mais à défaut du pourquoi, on est amèrement heureux de savoir le comment.

En somme, j'avais affaire à deux belligérants : les autres et moi. Étais-je désarmé? Retrouvé récemment, un de mes condisciples, Louis G., affirme que j'étais susceptible, arrogant, sarcastique, écrasant de prétendue supériorité. Cela me laisse sceptique ; ou bien c'était une réaction de défense. Juif (et communiste alors), il n'a que de bons souvenirs de cette période et de sa condition. Nous en discutons en jouant au ping-pong. La mémoire est chose singulière, et tout aussi déconcertante que le jeu de mon copain : son regain d'intérêt pour le judaïsme concerne les aspects religieux de celui-ci ; rien de tel chez moi, qui ne suis aujourd'hui passionnément juif que de façon profane, et par rapport au monde, par trop coalisé contre Israël. En 1970, un de mes élèves de classe terminale, dans le désarroi de la perte de mon père, me dit une fois : « Où qu'il se trouve, un juif a la terre d'Israël autour de lui. » Quand l'imaginaire et le viscéral coïncident, sous le regard d'autrui, cette parole acquiert une valeur apocalyptique, qui disqualifie toute autre attitude.

Les livres sont à tous et il y a des Juifs illettrés et vulgaires. Mais nous sommes du Livre et ma quête du style procède de cette appartenance, qui n'est pas près de faire de moi un blasé ; j'aime bien que ma librairie favorite soit à l'enseigne du « Bon livre », dans le quartier de Strasbourg-Saint-Denis, le verbe voisinant avec la chair, excellente mixité. Je lisais sans ironie, à la différence d'aujourd'hui, et tout à l'émotion. Parfois, d'entre les pages, surgissait une Delphine de Nucingen, née Goriot, et elle me rendait, si peu que ce fût, ma part de réel. Car avec plus de conviction que les personnes des alentours, les êtres de papier opéraient le miracle de me guérir de ce que je croyais être le malheur de l'identité juive. Delphine fut mon premier béguin romanesque et ma fille lui doit, ainsi qu'à une actrice admirée, madame Seyrig, son prénom au charme indémodable. J'ai envié Rastignac non pour sa réussite sociale, mais, parce qu'avant de prendre Mme de Nucingen dans ses bras, il pouvait jouir de ce trouble sans rival : ouïr le frottement des étoffes d'une robe contre les cuisses de la femme qu'on désire. J'avais treize, quatorze ans lorsque je décidai de devenir, moi-z-aussi, un créateur : « À nous deux, Balzac ! », ou quelque chose de ce genre.

Simultanément, j'eus deux amis auxquels, une fois faites nos prises mutuelles, je m'accrochai avec l'ardeur farouche de celui qui se noie. Ils n'étaient ni juifs ni pauvres ni rien des attributs par lesquels je me concevais un zéro mondain. Je voulais me déclasser vers le haut. Ou plutôt, n'étant de nulle part, me classer en visant des cibles qui m'apparaissaient dans les hauteurs du monde. Tout cela est un peu faux, sinon après coup : sur le coup ma spontanéité fut totale. Je manquais de sang-froid pour calculer, comme Rastignac, et aucun Vautrin à ma rescousse. Plein de désespoir et de convoitise, je me jetai à cœur perdu dans l'amitié de ceux qui, originaires d'autres cercles, me sauveraient des miens dans la cour. Quels furent mes atouts en face du Séducteur (intrépide) et du Scénariste (infatigable)? Comment savoir : la sincérité, la vulnérabilité, l'originalité? L'écorchement vif, le brio scolaire, la fougue du tout ou rien? Je fus ami d'eux, qui ne le furent pas ensemble.

De quinze à presque vingt ans, durant ce pilotage à vue d'une adolescence sans gouvernail hormis le faisceau des fièvres du désir, ces deux-là furent les phares qui brillèrent sur mon immaturité affective et ma maladresse sociale; à leur insu, ils empêchèrent la dislocation d'un esprit, le délabrement d'une destinée; je leur suis reconnaissant de m'avoir permis de dépenser, bander et jouir par procuration; ce fanal de l'amitié, le temps n'en a pas éteint le halo à travers la distance qui ne cesse de croître.

Ce qui me plaisait chez le Scénariste :

Sa généalogie cambodgienne, productrice de dépaysements divers, le rattachant à la fois aux mystères de la jungle imaginée par Malraux dans *La voie royale*, au sourire indéchiffrable de quelque sculpture d'une ruine d'Angkor et à cette sphère diplomatique où se mouvait son père, ambassadeur du prince Norodom Sihanouk...

Ses aspirations artistiques, son goût du théâtre, ses projets de cinéma : en classe terminale il monta, dans le cadre du lycée, la pièce de Sartre, *Morts sans sépulture*, où il me fit interpréter le rôle de François, ce jeune résistant que les siens étranglent avant qu'il ne parle sous la torture; ma mère assistait à la représentation et, durant les minutes où ma tête reposait sur les cuisses de celle qui jouait la sœur de François, j'ai été, les yeux clos, très heureux...

Sa sympathie pour moi, qui n'étais qu'orgueil et dénigrement mêlés, son attention à mes lacunes et sa bonne volonté, didactique, patiente, naïve, d'y porter remède en m'apprenant à danser le be-bop et le slow dans les couloirs du lycée, en m'emmenant au jazz du Vieux-Colombier, où apparaissait parfois Sidney Bechet, en me montrant ses « trucs », oh ! pas celui qu'il était censé détenir à propos de la jouissance, infaillible selon lui, des femmes, mais, par exemple, celui, efficace aussi, qui consistait à pencher le visage, faire jaillir la flamme du briquet de façon qu'elle vous éclaire un peu dans le contre-jour et vous prête ce charme, obliquement issu de ces modèles sacro-saints, Humphrey Bogart et Monty Clift, qui intrigue les filles rendues folles de vous...

Nos escapades par-dessus la grille au fond du parc interdit aux élèves, quand l'internat et les punitions nous accablaient si lourdement que faire le mur était le seul moyen de nous sauver de l'asphyxie, alors que nous courions le risque de plus graves sanctions encore, mais que valait cette menace devant la perspective du flirt, oh ! jeunesse...

Son désintérêt sans chiqué, pour moi une rare bouffée d'oxygène, envers la question juive, si typiquement européenne (et arabe) que, m'étant forgé par lui une certaine idée de l'Asie, me stupéfie la contagion qui la guette ou la gagne à présent...

Certaine nuit blanche à errer dans Paris, après un spectacle de Gilbert Bécaud à l'Olympia...

Et ce qui lui vaut le surnom dont je le déguise ici avec une gratitude exempte de toute ride : avec pour viatique la chanson « Too young » de Nat King Cole, qui baigne dans un romantisme éperdu de nostalgie, son invention immodérée du scénario le plus fou quand il s'agissait de résoudre une crise d'angoisse ou de procéder à des incursions dans notre avenir. Fallait-il que je fusse docile pour accepter, sur sa commande, puisqu'on lui avait signifié une rupture sentimentale, d'annoncer par téléphone à la jeune fille le suicide de mon ami, ou plutôt sa tentative avortée, son transport imminent à l'hôpital et je ne sais plus quelles autres broderies? Et ma crédule ardeur à le suivre, soir après soir, une fois les lumières éteintes et le veilleur de nuit passé, dans les histoires qu'il tissait à notre intention, voués que nous serions à la vie d'artistes itinérants et glorieux, ayant vaincu les années de ténèbres et goûtant bientôt les ovations d'un public conquis par la splendeur de nos œuvres! Inachevé, bien entendu, le scénario: il m'arrive de me surprendre à le doter d'une suite où il se charge, enthousiasmé par un de mes romans, d'en faire un film grâce auquel, enfin, s'établit cette collaboration de nos génies jadis voulue de toutes forces tendues et bandées contre l'enfermement de l'internat et unies pour l'évasion, l'accomplissement, la reconnaissance...

Encore et encore, criait le mendiant que j'hébergeais dans mon cœur insatiable de feuilletons et de fables. Voici donc.

Ce qui longtemps m'attira chez le Séducteur:

Sa ressemblance, made in Library, toujours plus épatante à mesure que je la fabriquais, la raffinais, avec Augustin Meaulnes, l'un et l'autre faisant craquer, mus par une grâce non pareille, les coutures étroites de la blouse du collégien et les parois de la prison du lycée — et moi, en face de lui, non pas dans le rôle de faire-valoir qu'assume le narrateur François Seurel, mais dans la peau pubère et disgracieuse du mec plutôt braque, et couvant dans le thorax, un peu à gauche, une sorte peu commune de centrale nucléaire en miniature, et en fusion...

Sa beauté confondante : sa taille élancée (selon le canon aristocratique que Montaigne regrettait de ne point atteindre pour son compte de prétendant à la noblesse), traits fins et virils, mains de pianiste (qui ne déploiera ses arpèges que sur le corps des femmes), aisance physique, sourire enjôleur, adéquation parfaite d'une créature à son corps, lui-même accordé aux êtres et au monde — sauf le démenti, sous mes yeux suspicieux, d'un détail crucial, le prépuce : cette incirconcision aussi scandaleuse pour moi que pour Voltaire (ce champion de la tolérance !), la fascinante laideur qu'il fantasmait dans la personne des déprépucés — lequel prépuce, s'il m'a dégoûté, n'a aucunement interdit au Séducteur de conquérir les mille et trois dames avec une énergie voluptueuse en concurrence avec le décourageant « Tu ne pourras jamais les sauter toutes » du proverbe russe...

Son appartenance, tout comme le Scénariste, à la bonne société « bourgeoise », qui m'était aussi étrangère que ces mirages autrefois entrevus par-dessus le mur de la pension à Rueil, quand j'apercevais, au balcon d'une demeure, sur l'autre trottoir de l'avenue de la Princesse Joséphine, un couple devisant et, dans la pénombre derrière eux, les profondeurs de la vie feutrée — société qui était d'abord une famille, un foyer, un ordre naturel, affectif, ensuite le domaine de la réussite sociale et des riches perspectives...

Sa gentillesse envers le plouc que j'étais, qu'il introduisit bientôt chez les siens, ce havre de sympathie, où je fus régulièrement invité, fêté, régalé par sa mère, femme d'un enjouement perpétuel, d'une exubérance sans afféterie, qui fit de moi, pendant plus d'un an, le répétiteur de sa fille cadette, espiègle créole comme elle, contrastant avec le maître de maison, grand commis de l'État à l'attitude un peu réfrigérante — hôtes dont la fréquentation assidue et chaleureuse ne cessa que par ma faute quand, quelques années plus tard, au moment de mon service militaire, je rompis sans phrases avec mon ami...

Et l'oubli permanent, en sa compagnie, en la leur, des zones juives de ma vie — à deux exceptions près.

La première. Le Séducteur et moi nous trouvions en autobus. Des femmes se tiennent mal et parlent fort. Je dresse l'oreille et une sorte de retour du refoulé s'opère brusquement. Je m'entends, ahuri, prononcer cette inconvenance : « Elles ont l'accent yiddish. » Lui, m'examine avec curiosité : « Tu es d'origine juive ? » interroge-t-il lentement. Le gel me prend à l'intérieur : « Tu veux qu'on entame le chapitre des confidences ? » Verrouillons. Cadenassons. Je n'en étais pas à vivre ça bien. Même, il n'était pas question de le vivre. Pas juif pas pris. Donc ? Rien. Nada.

La deuxième a refait surface lors d'une rencontre, en 1987, rue de Buci, chez l'opticien. Une femme brune me regardait, elle m'interpella, demanda confirmation de mon nom, déclina son identité, la sœur aînée du Séducteur, point croisée depuis un quart de siècle, et qui dit m'avoir reconnu au son de la voix. Embrassade, effusion, nous étions ravis. Il y avait là son mari, que je reconnus aussi pour être un journaliste devenu ambassadeur, et aussitôt je collai sur lui l'étiquette commode : Juif tiers-mondiste antisioniste. Et je lui déclarai tout de go combien ses articles m'avaient exaspéré en leur temps. Il me répondit avec une tranquille ironie : « Je suis plus utile à Israël que beaucoup d'entre vous, les inconditionnels. » Puis, infléchissant le cours de la conversation, un sourire sur ses traits tandis qu'il observait son épouse rieuse, il me demanda si dans la famille de celle-ci j'avais constaté des phénomènes antisémites. Comme j'hésitais, elle m'incita à répondre avec franchise ? « Oh ! une seule fois. », dis-je. C'était lors d'un des fréquents repas auxquels me conviait la mère de mon ami. Comment cela fut-il amené ? Le père de ce dernier, homme très froid, à l'époque ministre du général De Gaulle, lança le bouchon un peu loin, quoique avec courtoisie dans le ton, comme d'ordinaire, et se mit à raconter son expérience des rapports avec les Juifs, constatant que dans neuf cas de litige sur dix c'était d'eux qu'il avait eu à se plaindre. Simple problème d'arithmétique, bulle de savon crevant à la surface après bien des années, un peu de lie sous des masses de délicatesse — cicatrice de la mémoire que vient irriter, quelques jours après cette rencontre, la diatribe d'une radio algérienne, captée à Cannes pendant les vacances de Pâques, contre « l'ennemi sioniste ».

En même temps, je noircissais du papier, déjà. À moi la grammaire et la littérature « françouaises », comme on disait à la Cour. Le paradis. Je planais. Quand Esther entame sa prière à Dieu, « Ô mon souverain Roi/ Me voici donc tremblante et seule devant Toi », ou quand Œnone, évoquant Hippolyte et Aricie, s'exclame : « Ils ne se verront plus », et que Phèdre lui répond : « Ils s'aimeront toujours », je sentais un morceau d'éternité au fond de ma gorge. Je ne pensais plus: « Nos ancêtres, les Gaulois », mais « Racine, mon ancêtre ». Idem pour Baudelaire, à qui je pardonnais son horrible vers: « Une nuit que j'étais près d'une affreuse Juive », que chassait la récitation de tant de poèmes magiques.

L'idéologie n'était pas là pour contrebattre l'émotion et je ne risquais pas, Dieu merci, de vivre cette dissolution du juif dans le français comme l'imposture que représenta pour moi plus tard la théorie d'un Fabre-Luce nous mettant en demeure, au nom de l'amitié qu'il nous portait, bien sûr, de nous nier comme Juifs.

« Vous, Serge Koster, vous ne saurez jamais écrire », avait conclu M. Binet, le professeur de français de quatrième, en me rendant ma première rédaction. Je crois me souvenir que j'obtins le premier prix en fin d'année, et durant les longues heures d'étude, je noircis mes cahiers d'écolier à spirale.

1959, 1960, 1961: années de semi-somnambulisme, l'Histoire gommée, le capital de douleur mis sous le boisseau, et, qui émerge et resplendit, la rencontre de l'Unique. Comme le Stendhal des *Souvenirs d'égotisme* (dont le son de la voix écrite toujours me bouleverse), je pourrais dire que « je n'ai presque pas de souvenirs détaillés de ces temps d'orage et de passion » — j'ajoute un bémol, si on veut. Bizarre: tout cela si peu lointain, et qui se brouille.

L'ivresse, et un vacillement quasi continu. J'avais dix-neuf ans et pour la première fois je vivais dans la maison de ma mère. Je lui livrais des bribes et notre mésentente éclatait parfois. « Va au diable! » lui criai-je un jour pour une cause futile. C'est elle qui, quelque dix-huit mois plus tard, chargea une valise de quelques slips et livres (dont les deux premiers tomes de Proust en Pléiade, que j'ai encore) et m'envoya m'installer chez l'amour de ma vie. J'y suis encore, grâces en soient rendues à qui de droit. Somnambule, mais vigilant. A la dérive, mais cap maintenu. Je faisais l'apprentissage du décoincement.

Au lycée Louis-le-Grand, je m'étais vite, par le biais de quelques audacieuses plaisanteries en cours, intégré à un clan. J'avais des inspirations minuscules, j'empruntais mes insolences, l'enflure publique me posait là, toute cette élite piétinait dans l'antichambre de la rue d'Ulm, la singularité payait bien, sauf pour le concours de l'École. (Je le ratai.) Le professeur de philosophie, M. Marsal, ayant évoqué une femme à l'esprit large, je levai le bras et informai cet homme au bord de prendre sa retraite que d'après certains, les femmes à l'esprit large avaient aussi autre chose de large. Tollé général, huées des uns, ovations des autres. Je sentis des bourrades dans mon dos, me retournai et me liai d'amitié avec une équipe qui, bientôt, fonda une revue, *Cahiers libres de la jeunesse*, l'adjectif central en grosses lettres noires sur fond jaune. Le directeur, qui en assurait aussi le financement du fait d'une fortune personnelle et de beaucoup de générosité, s'appelait Jean Mettas. Il était caustique, dévoué, intelligent, hospitalier, sa maison, avenue du Parc-de-Montsouris, un lieu d'accueil perpétuellement ouvert à des gueux de ma sorte. C'est lui qui rédigea l'éditorial du N° 1, daté du 15 février 1960, je ne résiste pas au plaisir nostalgique et à peine ironique de le recopier ici :

« Pourquoi pas ?

On nous dit que Dieu existe. On nous dit qu'il n'existe pas. On nous parle de désespoir,

de sens de l'existence. On rit, on pleure. Pourquoi pas ?

Depuis la création tout a été dit. La jeunesse,
c'est ce qu'on appellera un jour la vieillesse.
Alors ?

Vingt-quatre pages. Que des jeunes. Et alors ?
Cela ne change rien. Tous les thèmes sont bons.
Aucune originalité : peut-être. Aucune jeunesse :
merci. Aucun intérêt :

Pourquoi pas ?

Nous sommes. Voilà. »

Ce style à l'emporte-pièce un peu puéril et sachant
se moquer de soi, c'était Jean Mettas. La jeunesse deve-
nant la vieillesse, c'est un processus qui lui a échappé.
Je l'avais perdu de vue quand j'ai appris son atteinte
du cancer et la mort, pas même âgé de quarante ans,
il s'en faut. Jacques-Alain Miller était le rédacteur en
chef, il avait une espèce de hauteur mais chaleureuse,
sa judéité ne lui posant apparemment aucun problème,
pas plus qu'à un des membres du comité de rédaction,
qui avait adopté le pseudonyme de Dan-André Faber,
dont le père était l'ami de Kœstler et de Malraux et
qui, par sa désinvolture et son aisance de mouvement,
me rappelait le Séducteur de mon adolescence. A l'intérieur du groupe, il formait un noyau dense avec Jean
Mettas et Serge Thion. Quand nous avons déjeuné vers
1980, il a mesuré ce double deuil de l'amitié : l'un
enlevé par la maladie, l'autre par le dévoiement idéologique, qui fait d'un individu d'extrême-gauche un pro-
pagateur des thèses révisionnistes concernant l'extermination des Juifs dans les chambres à gaz. Pour moi la
chose capitale, rédhibitoire, irrémissible. La tristesse
n'a pas seule régné pendant ce déjeuner. En 1960, au
lycée Louis-le-Grand, *Histoire d'O* circulait parmi

nous, sous le manteau. En dépit des leçons particulières, je restai démuni et on me prêtait les livres. Je lisais dans les bars de la rue Soufflot. Une fois Dan se pencha au-dessus de moi, s'exclamant : « Je parie que tu as la trique ! » Il a dû gagner son pari, bien que cet érotisme nous parût à tous plutôt sinistre. Ce n'étaient pas là les plus mauvais souvenirs d'un déjeuner d'anciens combattants. Non plus que le vol de *Lolita*. Dan avait résolu de me l'offrir en même temps qu'une leçon de soustraction. Il me guida vers la grande librairie à l'angle de la place de la Sorbonne et du boulevard Saint-Michel, me consigna près de la devanture, entama une flânerie au cours de laquelle il évaluait les livres, les feuilletait, les soupesait, opéra de même avec le roman de Nabokov, en parcourut quelques pages, et ensuite nous étions sur le trottoir et il retira le volume de dessous son imper et me le tendit avec un petit sourire content — tu te rappelles, Dan ? La honte vint en différé, le jour où j'assistai, impuissant, au même acte de brigandage perpétré à la librairie, aujourd'hui disparue, comme son propriétaire, « Le Labyrinthe », rue Cujas. Elle était tenue par mon ancien professeur d'histoire et géographie de classe terminale, M. Lecompt, avec qui je continuais de bavarder régulièrement et que navraient ces lâches et vils larcins. Il courait après le voleur, en vain, trop tard, et lorsque je vis la résignation lasse sur son visage, j'eus la même nausée que celle qui m'avait secoué au cours de ce dîner où un moniteur, pris de quinte de toux, avait craché sur moi sa soupe au tapioca. Plus jamais de tapioca, plus jamais de vol, fût-ce par procuration. Le bonheur de lire *Lolita* mérite bien qu'on sorte son porte-monnaie. Sur tout cela il y a prescription. Et qui donc irait rouvrir nos *cahiers* remplis de balivernes ? Je suppute qu'il n'y a plus guère qu'un *écrirêveur* de mon genre pour s'attarder à ces reliques. Il est vrai qu'un narcissisme rétroactif a de quoi se réjouir devant ce rectangle jaune de couverture où, sous l'annonce d'entretiens avec Jean-Paul Sartre et Marguerite Duras, d'un article « Aux trousses d'Hitchcock », le nom de l'inconnu qu'on est alors recueille une parcelle du prestige de ces divinités, soudain et pour longtemps voisines, familières et prometteuses.

Trêve d'enfantillages. C'est assez de phrases pour une enfance fiasco. Congédions, congédions. Le 1er mai 1960, entre dix-sept et dix-neuf heures, en dansant des blues au Vieux-Colombier, j'accomplis un des trois points de mon programme : la rencontre de la première dédicataire de ce récit, la seconde étant née de cette rencontre, quelque deux ans et demi plus tard. Il y a beaucoup de nombres dans ces lignes. Hasard ou cohérence du texte ayant à dire ceci ou cela ? Peut-être l'arithmétique, qui est l'agencement d'opérations selon un rituel intelligible et ordonnateur, préside-t-elle aux événements qu'elle arrache au chaos en les inscrivant dans la trame d'une destinée. Je parle en ces termes depuis les cimes magnifiantes de la biographie. Schéma commode pour agnostique. Histoire de rythme. Ainsi devient-on une personne moins seule.

Pour elle, la gentilité même, point de question juive ni de problème goy : la religion absente de son champ de manière absolue. Pourtant, une fois, au bout de quelques semaines de connaissance, cela surgit entre nous, littéralement comme une bouteille remontant du fond de la mer avec son morceau de message à l'intérieur, à peine lisible. Etait-ce ma façon de me taire, proprement assourdissante ? Un secret qui brûle les lèvres travaille-t-il la face comme la lave bouillonnant dans le cratère d'un volcan qui refuse son éruption ? Il y a cela de plaisant avec les métaphores, c'est qu'elles n'en finissent pas de frôler l'énigme sans la résoudre jamais. « Mais, tu es juif, toi », me dit un jour de nos débuts ensemble la femme de ma vie. Aucune analogie avec l'humiliation infligée en public par le professeur de dessin jadis. Rien d'accusateur dans la tournure de la phrase. Juste une sorte de constat, oui, la prise de conscience d'une évidence imbécile à renier — ce que je faisais depuis près de deux décennies. Tandis que je rédige cet ouvrage, je l'interroge sur l'origine de ce questionnement. « L'intuition féminine », répond-elle en éludant. De fait, il n'existe pas de réponse. Cela se produisit en ces termes et la seule suite à long terme, c'est que plus en sympathie avec Israël, il n'y a pas. Elle est la plus juive des goyim. C'est par son être même, si le peuple entier de ce pays se modelait sur elle et l'imitait sans la moindre faille, que le proverbe : heureux « Wie Gott in Frankreich », « Comme Dieu en France », prendrait enfin réalité. Et quand je la contemple, j'associe sa beauté à celle du tableau de Max Ernst où le corps incurvé d'une femme épouse la courbe d'un méandre de la Loire. Le titre de cette toile : *le Jardin de la France*. Mystère pour mystère, ma femme me murmura naguère moqueusement : « Toi, tu es un vagabond, tu viens de partout ». C'est bien la cause qui fait que, après la turbulente platitude des anciennes années, j'ai besoin de ses bras de Gentille et des mots de la langue pour, si peu que ce soit, m'enraciner. Ecrire, d'accord, se prouve en écrivant. Mais être juif, si on ne judaïse pas, d'où cela prend-il son sens ? Pour ma femme, ce fut en 1960, dans la découverte de l'horreur des camps, lorsque je l'emmenai voir *Nuit et Brouil-*

lard, le film d'Alain Resnais. Et votre enfant, comment affronte-t-elle cette condition, dont l'héritage ne revêt aucune forme concrète? Au fond, je l'ignore. Je ne lui ai jamais enjoint d'être juive; elle n'a pas eu à subir l'opération qui m'arracha le serment que je le serais, moi. Y eut-il des remous à ce sujet? Un soir, elle devait avoir dans les dix ans, l'émission des «Dossiers de l'écran» concernait un débat sur Pétain. L'ennui la chassa de l'écran. Je m'en irritai: «Que tu le veuilles ou non, ma fille, ta mère a beau n'être pas juive, on ne t'épargnera pas, si quelque chose comme Vichy recommence.» C'était bien avant l'occupation du terrain par les nostalgiques de cette triste histoire, mais, même en période de reniement ou d'assimilation, le qui-vive doit être une vertu juive. Ma remontrance produisit-elle son effet? Le souvenir m'échappe. Ma famille ne s'en mêlait point. Peut-être pas assez. Il en serait resté quelque chose. Ou peut-être pas. Il n'y a plus que moi à fondre de douleur au souvenir de l'accent d'Hanna quand elle prononçait «Jonviève» pour nommer la mère de ma fille; comment cette enfant pourrait-elle partager cette émotion, qui ne m'est commune qu'avec ma femme? Mon père et Hanna, dont les espérances communistes avaient été ruinées par l'échec de l'URSS ancrée dans son antisémitisme rebaptisé antisionisme, n'aimaient pas que l'on remuât trop les choses juives. Ils firent le voyage d'Israël. A leur retour, je n'interrogeai mon père sur rien. Aujourd'hui, je regrette de ne pas connaître les détails, et s'il fut ému en foulant une deuxième fois la terre que jadis il avait abordée en compagnie de ma mère, après leur départ de la maudite Pologne, où tous les leurs furent anéantis. Comment ma fille serait-elle touchée par une quelconque réminiscence? Le temps que Hanna et Papa vécurent après notre mariage (auquel il feignit d'objecter, il s'en fallait de deux mois que je fusse majeur et une héritière du Sentier avait été son rêve pour son fils), « Jonviève » et moi les connûmes comme constituant, par leur accent, leurs échanges yiddish, leurs cercles intimes, une des rares enclaves juives de notre existence alors dépourvue de judéité, ou presque.

J'avais cessé d'écrire. Provisoirement ? Sait-on jamais d'avance ? Ce n'est plus à la littérature, mais à la famille (la vraie mienne, fondée par moi, m'accoutumant lentement au mot et à la chose : une famille) que je demandais un certificat de conformité, à valoir comme garantie d'authenticité. Je préparais l'agrégation, ajoutant au salaire conjugal les maigres émoluments de leçons particulières. J'obtins un ersatz de ce certificat (judéo-français ?) par un biais inattendu. La chance économique m'avait souri en m'octroyant de devenir le répétiteur d'un jeune lycéen récalcitrant, que je m'essayais à faire travailler durant plusieurs saisons.

Je n'ai pas oublié cette séance. J'étais en train de lui dicter un texte, afin de lui inculquer une orthographe qu'il avait aussi douteuse que son caractère. Il me dit, tout à trac : « Moi, monsieur, les Juifs, je les sens à trente mètres. » Enveloppante tiédeur des souvenirs, ces bienfaiteurs de l'imaginaire, qu'ils irriguent et tiennent en santé ! Bronchai-je ? « Ah oui, répondis-je, un don de la nature que vous avez là. » Le vrai sortant de la bouche de l'enfant et son odorat insensible, ne possédais-je pas la preuve de ma francité ? Ce n'est pas un enfant qui vous interpelle, ce sont, réunies en lui, des générations qui clament à travers lui votre déshéritement. Claquer la porte ? L'argent des leçons, nous en avions besoin. Faire de la morale ? Peine perdue. De tous bords les scrupules s'émoussent au contact des intérêts : ma sœur, jeune alors, convertie et communiant sous la pression des parents catholiques de sa meilleure amie de lycée — le temps des vacances de Pâques ; une école privée, où j'enseignai trois ans, conjointement régie par un Juif et un Fasciste, dont la cause commune est le profit ; etc. Je ne me niais juif que pour échapper au désarroi. Ma mère l'augmentait en me reprochant mon indifférence supposée aux commémorations de la communauté. Elle n'avait pas tort. Si j'ai écrit un roman-poème que scande sur le mode incantatoire la lecture des plaques à la mémoire de tous ceux tombés sous le nazisme, c'est un peu afin de réparer ce dommage. Aujourd'hui, mes pas me conduisent souvent rue Geoffroy l'Asnier et à la pointe sud de l'île Saint-Louis. Mais je me dis que mes parents ne m'ont connu que Juif l'étant à peine. C'est peut-être aussi qu'ils avaient maladroitement lancé les dés pour moi. En chaque sphère peut-être encore tout se tient-il. Ce garçon à l'odorat si fin, quelle façon il avait d'aimer, si mal compatible avec l'amour ! Un écureuil en fut victime, que ses parents lui avaient offert. Un écureuil en cage ! Il me le montra. Le lendemain, visage lugubre de la mère. Son fils avait voulu caresser l'animal, qui s'était enfui. Longue poursuite. Traces sanglantes des griffes sur le papier mural. Et la mort par arrêt cardiaque. J'essaie de n'en point rajouter. Mais j'entends le souffle court, le râle fou de la petite bête traquée ; ça me pèle l'âme. Mêmement, si je songe à Nietzsche qui se jette contre les naseaux d'un cheval que le charretier martyrise dans une rue de Turin ; si je longe le quai de la Mégisserie où s'entassent captifs tant d'animaux sans défense. A l'inverse j'ai mis du temps à m'apprivoiser à notre chatte Muscade, je ne suis pas fort amateur du contact physique avec ce règne-là. Mais sa protection et son respect m'importent au même titre que ceux des droits de l'homme, dont ils sont indissociables. Je m'excuse de pontifier à revoir Muscade, sa tumeur récidivante lui crevant le pelage, son air soumis chez le vétérinaire un dimanche matin, et le verdict de ce dernier en forme d'euphémisme : « Il va falloir l'endormir. »

En juillet 1966, durant mon service militaire, j'accomplis le second point de mon programme avec la réussite à l'agrégation de grammaire et l'engagement dans le professorat. « Aide-toi, le ciel t'aidera », m'étais-je répété lors des épreuves orales et le ciel m'avait encouragé de cet heureux présage, une fiente de pigeon sur l'épaule. « Succès. Baisers » : teneur du télégramme émis à destination des miennes chéries, en vacances en Bretagne. Ah, l'irrésistible ascension vers les cimes françaises ! Vous êtes content de vous ? Ma foi... Et surtout ce sentiment de pénétrer les arcanes de la langue, de jouer miraculeusement avec les règles et les ressorts de la grammaire, et l'illusion d'avoir la maîtrise du réel grâce au rouages de l'étymologie éclairant les zones autrefois obscures des rapports entre les signes et les choses. Et en même temps que j'entrais avec délices dans la convention territoriale, avec ces balises : affections et métier, je me sentais comme interdit de littérature. La tare que Sartre, dans *les Mots*, impute « à la nature du verbe : on parle dans sa propre langue, on écrit en langue étrangère », je crois que je l'attribuais, chez moi, à une perte de l'urgence, comme si le troisième point de mon programme se révélait le plus frivole. Je sais maintenant qu'on n'écrit jamais qu'à partir de la mort. Hélas ! C'est elle qui nous met la plume à la main: c'est une honte, c'est un scandale, mais c'est ainsi. De plus, il y avait ceci : j'avais voulu écrire pour n'être pas juif, alors qu'on écrit valablement pour être celui qu'on est, faisant par là cesser le non-être — croit-on, car ce qui est aboli n'est pas ressuscité par le crépitement de la machine à écrire, ce bizarre cercueil entre nos mains. Il me restait donc à le devenir. Quoi? Celui qui ne redoute plus de contempler ni d'assumer ce que Mandelstam, dans *le Bruit du temps*, désigne comme « le chaos de la judéité, ni patrie, ni maison, ni foyer, mais bien chaos, monde viscéral et inconnu d'où j'étais sorti, dont j'avais peur, que je devinais vaguement et que je fuyais, que je fuyais toujours » (ainsi que traduit Lily Denis). Des héroïques marranes, se soustrayant par pseudo-conversion aux bûchers des inquisiteurs, aux apatrides qui, sous Vichy, tentèrent vainement d'échapper aux crématoires avec de faux certificats de goyim, en passant par tous les stades intermédiaires de la confusion et du tremblement, ne sont-ils pas des myriades, aujourd'hui poussières d'âmes, à avoir vécu dans les affres la chronique de leur aléatoire identité?

TROISIÈME PARTIE

Je le suis ?

(1967-1987)

Voici autre chose. Un point d'interrogation au terme d'une affirmation d'identité, cela a-t-il un sens ? Je ne conçois d'autoportrait que bougé. Heureux ceux dont l'image d'eux-mêmes ne tremble pas. Si je considère le cliché « Juif, mode d'emploi », je ne distingue que lacunes et insultes. Pas de généalogie, pas de racines, pas de lopin, pas de maison, pas de fibres juives. Pas de spoliation, puisque pas de possession. C'est à l'inventaire de ce manque qu'il me faut me livrer. « Moins on en parle, mieux ça vaut », chuchotaient Papa et Hanna. Dieu, qui a permis Auschwitz, leur pardonnera leur prudence. Mais nous, nous savons que même notre muette immobilité fait des vagues. Elles prennent parfois la forme de rumeurs, comme celles qui, dans les années soixante, coururent à Orléans, Amiens, ailleurs : on accusa les Juifs du prêt-à-porter de pratiquer la traite des blanches. « À ce moment, j'ai su que *ça* pourrait recommencer », me confie ma femme. Donc, parlons-en.

Mais d'abord, l'étrange parenthèse d'un voyage manqué. Longtemps avant d'entreprendre le pèlerinage de Jérusalem, je m'étais rendu à l'office du tourisme israélien, rue de la Paix. C'est le plus beau nom de rue à

Paris. *Shalom, Szulim*: le prénom de mon père:
« Paix » ! Il le porta comme le fardeau d'un rêve plus
qu'il n'en connut la douceur. Je ne puis négliger cette
coïncidence: son séjour en Palestine avant la guerre,
ne le vécut-il pas comme une parenthèse entre la Pologne et la France ? Peut-être heureuse, au demeurant, si
j'en juge par les photos qui les montrent, lui et ma
mère, sur le sable et dans l'eau: ils ont une façon de
se tenir et de se regarder, avant ma naissance, qui s'en
trouve justifiée !

Apparemment, cet office du tourisme est semblable
aux autres: du trottoir on contemple la vitrine emplie
de prospectus et de promesses, on est déjà parti. Et
puis on essaie d'entrer. On appuie sur le bouton de la
sonnette. La porte s'ouvre, se referme. On est captif
d'un sas de sécurité, une cage de verre où on reste en
observation. J'accédai enfin au bureau. Il y avait là
deux hôtesses belles et brunes et un homme athlétique,
manifestement chargé de la protection. Je me rensei-
gnai, plein de gêne. Le goût de l'excursion m'était
passé. Des années s'écoulèrent. Ce n'est que pour Pâques 1982 que nous mîmes notre projet à exécution.
Une si longue attente pour fouler le sol de vos supposés
ancêtres ? C'est que rien ne sert de courir. Un si dilatoire
encaissement de vos origines diasporiques ? Ma foi.
Encore multipliai-je les obstacles au bon déroulement
du voyage. Sous prétexte de tout voir en peu de temps,
j'optai pour un « tour opérateur »: ainsi, nul risque de
laisser la bride aux états d'âme. Nous étions un groupe
de quarante touristes, avec tout ce que cela suppose
d'artifice et de malaise. Presque tout le temps je ressen-
tis de l'hostilité envers notre guide israélien, autoritaire
et expéditif. Lorsque, durant un bref échange, je lui

avouai que j'étais juif, la barrière ne tomba pas : je vis dans ses yeux une condamnation pour traîtrise.

Ce ne fut pas le coup de foudre, malgré les enthousiasmes de ma femme, étrangère à mes inhibitions, Dieu merci. Je me souviens des voyages antérieurs. L'éblouissement apollinien de l'Italie. L'excitation esthétique et sexuelle à travers la Grèce. La beauté confondante du Nil longé en train pendant les heures de l'aube. La course humide et chaude entre les ruines des temples de Palenque, au Mexique. Ces incroyables moments d'émotion, je peine, non sans honte, à en retrouver, si possible, l'équivalent, en Israël.

Feuilles d'album. Les bâtisses sans style de Tel-Aviv, dans le quartier de notre hôtel. Le cahotant transport en car vers le sud. Le surgissement prodigieux des cultures dans le Neguev ; ce vert arraché à l'aride vous émerveille. Le soleil de plus en plus fort, le ciel virant à l'azur intense lorsque nous arrivons au kibboutz de Sdé Boker, où David Ben Gourion a vécu sa fin, au milieu du désert ; ses pantoufles ; sa tombe. La pierre rose des ruines byzantines d'Avdat. Les entonnoirs rocheux des piliers du roi Salomon ; c'est impressionnant, mais comment articuler ce spectacle à la remémoration du *Cantique des Cantiques* ? Le désastre urbain d'Elath dans un site splendide ; restent l'île de corail, l'aquarium, les légendes de la mer Rouge. Intrusion de l'Histoire sous la forme de son actualité : à la jumelle nous observons, sur l'autre rive du golfe d'Akaba, les troupes jordaniennes. S'impose aussi l'image des barbelés qui rayent des étendues de paysage inculte. On repart. La lagune minéralisée de la mer Morte. Je regarde ma femme s'y baigner, tandis que me cloue au bord une plaie à mon flanc. Le soleil sur la forteresse de Massada et l'ombre suicidaire d'une héroïque résistance. C'est un des signaux que l'Histoire adresse à ma sensibilité en alerte ; alors j'oublie les gens et quelque chose se produit en moi, indéniablement étreint par cette grandeur. Les ravines de sable autour de Jéricho ; l'épisode biblique n'est ici d'aucun recours devant l'insignifiance de mes réactions. Une brise très fraîche souffle sur Jérusalem. J'ai du mal à rassembler cette ville dans mon souvenir, tant est prégnante l'impression d'éparpillement que sa topographie suggère. Des images vivaces toutefois : les moutons qui paissent le long des collines, le verdoiement des oliviers dont la vue sur le mont convoque toute une iconographie plutôt factice, accroissant ma sensation de porte-à-faux. je me retrouve à vibrer devant les tombes profanées par les prédécesseurs de l'autre culte, et l'admiration me revient sur l'esplanade qui mène d'une mosquée à l'autre. Mon unique réminiscence culinaire du voyage se situe dans un hôtel dont la décoration orientale a effacé le nom de ma mémoire. Je revois très bien la gardienne de troupeaux qui vocifère en direction de notre car ainsi que l'or des murailles de la vieille ville au crépuscule. La cohue des sites chrétiens me révulse, et, à un moindre degré, me dérange, m'incommode la vision des hommes avec leur châle de prière, oscillant, psalmodiant au pied du Mur des Lamentations. Je vérifie la présence de la kipa rituelle sur ma tête. Visite des souks. Je demeure imperméable à la chaleur censément rayonner du mélange des peuples. La partie nord du périple me toucha davantage et j'en éprouve la symbolique émotionnelle en contemplant la photo de notre couple posant devant les sources du Jourdain. Le charme apaisant du lac de Tibériade. Ma femme est fascinée, dans le kibboutz où nous passons la nuit, par les pis gigantesques des vaches. Cette expansion de la vie la réjouit.

Les synagogues de Safed évoquent les parchemins du fond des âges, resserrés dans le lacis des rues de la bourgade. Retour à Jérusalem. D'emblée, impossible de consentir à visiter le mémorial de Yad Vachem : je me poste dehors, aveuglé par les larmes que me tirent les arbustes scandant la mémoire et le nom des martyrs (ou des Justes ?) Enfin je me résous à rejoindre ma femme à l'intérieur. Le seul remède contre la souffrance, c'est de déchiffrer le martyrologe avec l'âme dépaysée d'un lendemain d'hallucination. De ce voyage décalé dans ma tête et mon cœur, de cet Israël si distant qu'il me parle moins concrètement que le palmier d'Ulysse à Délos tandis qu'il paraît nu, au sortir de son naufrage, sous les yeux de Nausicaa, lui dérobant un membre qu'il couvre d'un rameau, de cet Israël assiégé, intenable et miraculeux, je ne garde alors que cet instant où le cri s'étrangle à Yad Vachem, unique gisement des mes souvenirs juifs, ossuaire verdoyant de ma préhistoire. Car ma mémoire est à Mycènes, point à Jérusalem. Pourtant, je n'oublie pas que je suis né juif, de conscience juive, de destin juif : tout me le dit et me le dicte. Il faut donc faire de ce hasard un choix.

Le voyage d'Israël, nous le referons un jour, à deux.

En amont et en aval de cet effort pour toucher le mythe, dont la commotion qu'il me causa ressemblerait à l'énergie que le trou noir décharge dans le cosmos, la voix qui me constituait juif était bien celle d'Israël. Non : celle des ennemis d'Israël. Ce n'est qu'aujourd'hui, traçant ces lignes, que j'acquiers la conscience du paradoxe de mon identité juive, nourrie de l'usage personnel des offenses judéophobes. J'ai beau dénier à qui que ce soit le droit de m'agresser en

tant que détenteur d'une parcelle de l'imaginaire terri-
toire juif, toute ma vie quotidienne me prouve que je
n'arpente celui-ci que dans le péril pesant sur l'idée
juive, à travers la menace dirigée en permanence contre
ce pays pétri de l'idée juive. Toute mon exploration
des vingt années écoulées se conditionne à cette énigme
d'une singularité invivable autrement que sur le mode
d'une insoluble contradiction.

Avant 1967, il ne me serait jamais venu à l'esprit
de scruter la presse de façon à me doter d'archives
telles que rien concernant Israël me demeurât ignoré.
A moins d'effectuer une recherche particulière, en quoi
cette rubrique m'aurait-elle importé davantage que
celles ayant trait à tels événements considérables,
comme le 13 mai 1958, la crise des fusées de Cuba ou
l'assassinat de Kennedy ? Telle est mon immersion dans
notre langage et notre culture qu'un de mes élèves
religieux de la classe terminale (ainsi que je l'ai men-
tionné déjà), tentant de me reconvertir, me blâmera
d'avoir perdu « mon âme, mon essence juive ». La guerre des Six Jours, d'une victoire si fulgurante grâce au
génie audacieux de Tsahal, me remit en mémoire, si je
l'avais oublié, voire si je ne l'avais pas encore compris,
ou si j'avais feint de ne pas le savoir, qu'à ce peuple
la naissance n'accorde pas ipso facto le droit de vivre.
A ce titre je puis affirmer que 1967 imprime dans ma
chronologie l'entaille d'une opération qui n'est pas sans
analogie avec l'accouchement d'une sorte de double,
de jumeau de mon être ordinaire, un personnage qui
comme moi dit « je », mais ce « je » emprunte aux autres
la voix blessante du discours de la mort.

Janvier 1967. Mon service militaire accompli, me voilà professeur de lettres à Mantes-la-Jolie. Moi qui n'ai depuis belle lurette de langage pour les petits, je ne me souviens, de ce semestre d'enseignement, que des élèves de quatrième. Leur air ravi quand, au lieu de les bassiner avec les clichés de l'amour subordonné au devoir, je projetais la lanterne sur le style, ses codes et ses figures, décryptant les mots mystérieux, érudits, commodes qui permettent de jouir des effets expressifs, leur montrant comment, au moyen d'allitérations, de synecdoques, d'oxymores, de litotes, des tournures telles « cette obscure clarté qui tombe des étoiles », « enfin avec le flux nous fait voir trente voiles », « va, je ne te hais point », outre la magie qu'elles diffusent par leurs propriétés, les œuvres acquièrent un pouvoir, se révèlent dans leur puissance avec une sûreté que la simple dégustation immédiate et sensorielle n'autorise pas. A les voir jubiler, une griserie me prenait, comme si le reflet de leur joie sur le visage avait sa source quelque part dans l'infini de la religion de la littérature ; j'avais besoin de ce sacré pour être heureux. Un de ces rayons de la gloire cornélienne effleurait les cheveux des élèves. Le soleil entrait à flots par les fenêtres du lycée Saint-Exupéry. Une fillette m'apporta, dans une boîte de fer-blanc, des fraises du jardin de ses parents. Et puis !

Le coup de tonnerre : « *Les Egyptiens ont attaqué* ». La manchette de *France-Soir* fait époque. L'historien de stricte objectivité y trouve à redire. Ses restrictions me sont équilatérales. Je nous revois, mon ami Serge Z., Juif sépharade, professeur d'histoire et géographie n'ayant de leçon à recevoir de personne, et moi, nous précipitant, dès la sonnerie de fin des cours, vers le parking, devant les grilles du lycée, où stationnait la

Ford Taunus bleue que F. D.-S., adversaire de la cause sioniste, avait mise à notre disposition. Nous collions l'oreille au transistor, lui assis sur le siège avant, moi debout à l'extérieur, penché vers la radio, tous deux exaspérés par l'égrènement des secondes jusqu'au flash de l'information. C'est une des rares circonstances où j'ai assisté à ce phénomène exceptionnel : Serge Z. perdant son flegme de gentleman. Notre angoisse contrastait avec la splendeur de ce mois de juin (ainsi étincelle-t-il dans mes archives mentales). Dans le poste, les voix des reporters crépitaient comme tourneboulées dans l'embrouillamini sensationnel d'un festival de pyrotechnie. De mots tels « Israël », « Tsahal », « Dayan », émanaient des vibrations irrésistiblement victorieuses qui laissaient sur nos visages, une fois repartis vers nos classes, une empreinte euphorique. Je ne suis pas d'un naturel modéré. J'admire la réserve et le tact avec lesquels Raymond Aron, dans ses *Mémoires*, relate ces événements, les éclairant ainsi des feux de sa raison. Pour ma part, ce qui fonde ma vérité, c'est ma conviction. Il n'en faut pas démordre. J'ai appris cette maxime en lisant les *Confessions* : Rousseau savait ce qu'être persécuté veut dire. Depuis juin 1967, je n'en ai pas démordu. L'homme dont la conviction règle la vie, il expulse de ses jours la honte originelle, j'entends la honte qui accompagne le calomnié Joseph K. jusqu'au terme capital de son exécution. Lui, meurt coupable, ignorant son crime. La honte lui survit, elle traverse les générations des Juifs pour nous atteindre aux instants de l'innocence même, je veux dire ces instants si heureux que nuire est hors de notre champ. Car nuire serait l'essence de notre loi, paraît-il. Ainsi autrui en a-t-il décidé pour nous. Eh bien, non : si l'être juif en moi me demeure une énigme, je sais depuis la guerre des Six Jours qu'il nous faut assumer cette énigme radicalement, car c'est à la racine que la honte doit être extirpée. On rétorquera que l'autre possède aussi sa conviction, qui le possède. Ce sera conviction contre conviction. Et non plus agenouillement devant le mufle de la Bête. Pourquoi Joseph K. continuerait-il à faire assaut de politesse avec ses tortionnaires afin de leur faciliter la besogne? Pourquoi, rencontrant un ennemi d'Israël, se demander s'il est un peu ou beaucoup anti-sémite? La terrifiante cérémonie prémonitoire du roman de Kafka, l'exquise courtoisie des rendez-vous de Vichy, les parterres fleuris devant les chambres à gaz, de tout cela Israël nous enseigne l'impossible répé-tition, désormais. A l'écoute de la radio durant les interclasses, je m'inventais fébrilement l'incondition-nelle fidélité du Juif diasporique au Juif israélien.

« *Les Egyptiens ont attaqué.* » À la lettre, c'est inexact. Mais cet accroc à la véracité n'est que d'appa-rence; de bonne foi je l'ai aussitôt compris. Ce que la déviation de ce titre souligne, c'est le regard neuf des Juifs sur le cours des événements : l'acceptation passsive des rendez-vous de l'Histoire est rayée de leur Table des Commandements. L'humanisme n'exige pas qu'on tende son cou au bourreau; il exige qu'on sauve l'hu-main en soi. L'individu sait qu'il y aura toujours quel-qu'un pour pointer l'index accusateur sur sa judéité; autant, pour lui, se prévaloir de celle-ci. Isarël, Etat de Juifs (je précise : et non pas *des*, de tous les Juifs), est logé à la même enseigne : quoi qu'il fasse ou ne fasse pas, qu'il décide ou qu'il s'abstienne, la légende de la diffamation le marque au fer rouge et les stéréotypes ont la vie dure; autant passer outre et confisquer le couteau prêt à l'égorgement.

Est-ce porté par la tension nerveuse que je me mis

en devoir, sans préméditation, de concrétiser ces sentences en devançant, et donc en démasquant le rôdeur judéophobe qui sommeille dans nos cercles professionnels ? Souvent une amie me ramenait en voiture à Paris. Sous le soleil de juin, la campagne française offrait à mon regard inquiet la pérennité paisible de son fleuve, de ses prairies, de ses vallons. Jamais autant que lors de ces transports ne m'a frappé avec cette force le charme nostalgique de cette expression : propriété familiale. Un fantasme de généalogie, mêlant la lumière parmi les herbes, les parfums autour des toits et la geste des générations, éveillait et remuait en moi des regrets encore inouïs, et je tâchais de m'incorporer ce paysage de l'Ile-de-France, qui parlait à tout mon être un langage à la fois inconnu et familier, au moment même où je tremblais pour l'existence d'un pays dont l'idée m'était plus que précieuse, mais non point l'envie d'en fouler quotidiennement la terre. Exaspération due à l'angoisse, à la mauvaise conscience ? Ce vendredi-là, en fin d'après-midi, on reconduisait aussi une collègue de dessin, jeune femme pleine de vigueur et de sympathie. Le propos vint-il comme un cheveu sur la soupe ? « J'ai faim, dis-je. — Moi aussi, fit-elle. — On est victime du jeûne du Sabbat, repris-je absurdement. — Oui, dit-elle machinalement. — Ces Juifs ont des mœurs bizarres, renchéris-je, malgré l'œillade étonnée de mon amie dans le rétroviseur. — Ça, c'est vrai », approuva notre passagère. Et jusqu'au tunnel de Saint-Cloud je nous enfonçai, elle et moi, dans un labyrinthe d'inepties antisémites, sans la voir jamais rebrousser chemin. Lorsque, une fois dans Paris, elle fut sur le point de descendre, je lâchai mon aveu. Elle me fixa, incrédule, ne dit mot et s'en fut. Des yeux je suivis son dos avenant, incapable d'y déchiffrer autre chose que le choc en retour d'une ironie mauvaise, dérivée sur la planète entière. «Tu l'as cherché», murmura mon amie.

Il m'arrive, très rarement, de poursuivre dans cette voie sans issue. Un de mes amis, chargé d'expérience, me conte qu'il n'a pas souffert, à titre personnel, de l'antisémitisme. Si, au cours d'une réunion ou d'un dîner, il entend des propos hostiles aux Juifs, il se lève et prend congé. C'est un sage. J'envie cette sérénité, sans pouvoir l'assumer. Les blessures anciennes s'ouvrent des coups assenés non plus à ma personne, mais à cette enseigne minuscule et universelle, Israël. Attaque si tu veux vivre en paix, ce doit être sa devise. Pour être cohérent, je me l'applique aussi. Mais, sous le ciel de l'Ile-de-France, ses effets s'inversent : attaque si tu veux saigner. Et je saigne. A l'abri, de loin, dans la chair de mon âme. Normal, pour un lecteur du journaliste Albert Londres. Les reportages de 1929, qu'il a réunis dans *Le juif errant est arrivé*, me fournissent ma caution : les Juifs ne sont pas payés, ils paient pour le savoir. Savoir quoi? «Le prix du sang», telle est la promesse que Ragheb bey, grand mufti de Jérusalem, délivre aux descendants de Shylock. Et il ajoute que deux jours suffiront pour l'exécuter sur la personne des cent cinquante mille Juifs. «Soixante-quinze mille par jour?» questionne Albert Londres qui, sans être juif, a tout saisi du nouveau cours du destin juif. Sa conclusion : «Je crois que vous présumez de vos forces. Les nouveaux Juifs ne se laisseront pas saigner.» Et Israël le prouve. Mais moi, comment le prouverais-je? Il n'est pas impossible que la violence qui environne Israël contribue à me faire toucher du doigt mon évanescente judéité. J'ai besoin de cette coalition pour m'éblouir de mon choix : avec Israël si tu veux, en France comme je veux.

Il y a vingt ans de cela : l'Histoire se prend dans le glacis de la narration. Mais sur le coup, lors même que la victoire de Tsahal semblait acquise, la voix lointaine et haletante de cet extraordinaire envoyé spécial, Julien Besançon, attisait, pis : tisonnait notre angoisse. Le déchirement, l'exaltation, la cycloïdie nous mettaient dans tous nos états. Entre tous je me rappelle Philippe Lyon-Caen, prématurément disparu, prêt à quitter personnes et profession pour courir sur le champ de bataille. Parmi nous autres professeurs il se montrait le plus résolu. Il se rendit à l'ambassade d'Israël, si ma mémoire ne m'abuse ; là on lui répondit de ne point bouger. La faveur dont Israël jouissait dans la majorité de la France nous faisait chaud au cœur. A peine cet énoncé inscrit sur la page, je surprends son apparente étrangeté : à part entière je suis un morceau de ce pays et à part entière j'ai la passion d'Israël. Est-ce inconciliable ? Aujourd'hui, les scrupules de la double allégeance ne me taraudent pas le flanc. Il me suffit de feuilleter *Jérusalem, Instants d'éternité*, où Frédéric Brenner a réuni d'admirables photographies, pour avoir la conscience au clair : je n'ai rien de commun, littéralement, avec ces hassidim, ces Juifs pieux de tous âges, ce vieillard blanchi par la prière, cet enfant à papillotes qui appuie son menton et sa joue contre le Livre ; buvant un demi panaché à la terrasse du Flore, c'est ici et non là-bas que je suis chez moi. Mais. Mais dans le regard que le vieil homme barbu m'adresse du fond des siècles, dans le profil de ce visage enfantin à l'œil fixé sur un point invisible, il flotte quelque chose, un message à moi personnellement destiné. Si sa signification échappe à ma compétence, peu importe. Du moins m'est-il permis de le déchiffrer en négatif. Détourner mes yeux, ce serait me faire complice de ceux qui prirent plaisir au malheur des miens. Les miens? Tous ceux de mon sang, la famille de mes parents, les ancêtres expulsés d'Espagne en 1492 et la sœur de ma mère fusillée en 1942, ou 43, est-ce que je sais, non, rien n'est su du moment exact ni du sort des dépouilles, il ne demeure que notre solidaire mémoire. Rien de plus constant que ce fleuve, la mémoire. Innombrables en sont les affluents. Tenez : voici qu'on publie une biographie de Robert Brasillach, l'auteur nous apprend qu'il fut un « antisémite de raison » — où la raison va-t-elle se nicher ! Alors, tandis qu'Israël continue de survivre à son encerclement, je consulte les documents, je me réfère aux historiens, je me contrains à lire *Je suis partout* (qui est partout, à la fin? Les Juifs? Leurs ennemis?), Brasillach écrit, le 25 septembre 1942 qu' « il faut se séparer des Juifs en bloc et ne pas garder de petits » — bien : à cette date je suis un de ces petits — comment mes tripes ne seraient-elles pas juives, si ma langue, ma culture, ma terre sont françaises? En juin 1987, à côté de la devise de mon pays, « Liberté, Egalité, Fraternité », j'ai inscrit une autre devise, qui ne lui est pas concurrente, mais coexistante : « Israël vivra ». A part cela, « L'an prochain à Jérusalem » n'est pas ma formule matinale ; « Paris, la plus belle ville du monde », voilà ce que je me répète en me promenant dans les rues, une ou deux heures par jour ; et encore plus fort au retour des voyages.

Ce chapitre victorieux trouve son épilogue amer quelques années plus tard. En octobre 1973, les Egyptiens eurent à cœur d'authentifier rétroactivement la fameuse manchette de *France-Soir* et notre orgueilleuse angoisse. Le « peuple d'élite, sûr de soi et dominateur » (comment ne pas entendre, dans la fameuse périphrase du général De Gaulle, pourtant insoupçonnable, un écho de cette réputation où la louange et la calomnie se marient curieusement, et par quoi on attribue à un groupe, selon le principe de « causalité diabolique » étudié par Léon Poliakov, des pouvoirs et des visées hégémoniques qu'on est alors fondé à traquer en persécutant ce groupe ?) ; ce peuple, respectueux de la prière, se laissa surprendre dans la ferveur de Yom Kippour, et mesura très vite la précarité des belles formules humanistes et des quiètes frontières protégées. En cas de malheur, et le cas fut tout près d'avoir lieu, la société des nations eût-elle péri de honte ? J'en doute : les cimetières sont peuplés des victimes de cette honte, dont la puissance de résurrection reste à démontrer. De 1967 à 1973, tous les Juifs déjudaïsés de ma sorte ont eu de quoi réfléchir dans leur progression vers ce que j'appellerai l'âge de notre majorité juive. Il ne s'agissait plus de choisir quelle équipe on encouragerait lors d'un match de basket-ball entre la France et Israël — comment voter pour ceux dont on ignore le nom et le visage, parfaitement exotiques ? Il s'agissait de prendre enfin conscience d'une loi exemplaire dans son évidence : mon existence française n'est possible que si elle est juive. Mais le corollaire de cette loi, je ne devais le découvrir qu'après la déception du voyage d'Israël : si ma judéité exige, pour s'affirmer, un Israël fantasmatique, alors il me faut conclure sur cette autre évidence : Israël fonctionne en moi comme la névrose de cette judéité. Ce diagnostic ne change rien à l'affaire.

Une fois, vers mes quinze ans, notre père partit tenter de refaire sa vie aux U.S.A. Je n'étais pas doué pour les maths, mais je crus expérimenter l'absence au carré.

Je revois, j'entends Hanna, qui nous recevait un dimanche sur deux à déjeuner, nous faire l'annonce de cette
folie, qu'elle commenta de façon si neutre, si anodine
que c'était comme si elle me dévoilait l'histoire d'un
inconnu. Il revint au bout de quelques semaines et de
cet échec il ne fut plus jamais question. J'allais avoir
trente ans quand un poids lourd prit sa voiture en
écharpe et me permit d'entr'apercevoir l'absolu de
l'absence. Après leur disparition, l'inventaire de leurs
pauvres biens me légua des photos et un pan de passé
familial complètement inintelligible. Je ne pouvais pas
mettre de nom sur les membres supposés de ceux de
sa tribu en Pologne. Les inscriptions hébraïques sur
leur caveau et sur les tombes de la communauté ne me
donnèrent même pas le désir d'accéder à cette langue.
Le tatouage juif de la peau de mon âme ne se déchiffre
nullement à l'obscure lumière de leur passé, où je n'occupe aucune place repérable. Aux obsèques, il y avait
des cousins de mon père, des enfants et des petits-
enfants d'Hanna : nos contacts se bornèrent au strict
minimum. Ma femme et ma fille constituent ma famille ; et nous avons des amis, très proches. Aucun
langage ne me liait aux intimes de Papa et d'Hanna.
Leur tragédie me laissa encore deux années sans voix,
mais plein de larmes, comme dans le train pour Toulouse jadis ; coïncidence : après deux semaines de villégia-
ture à Saint-Raphaël, c'est vers Toulouse (et mon frère)
qu'il se dirigeait avec Hanna quand ils furent rejoints
par ce camion, qui mit le point final à leur texte yiddish,
dont ils ne me léguèrent que trois mots. Même la langue
française me fit défaut alors en face de la mort et son
petit air de rien. C'est elle pourtant qui empêcha le
manquement à mes promesses anciennes et me servit

de caution dans l'accomplissement du programme que le lycéen s'était juré de tenir.

Elle, la mort, et la lecture de Francis Ponge, qui me rendit la maîtrise des mots. Un choc, un éblouissement, une révélation. La langue renoue avec ses racines, les mots sont lustrés, la phrase fonctionne, l'expression pallie le mutisme des choses, les objets font signe, le monde s'ordonne, le passage à l'acte d'écrire devient possible dans la cohérence, le texte vous donne le terri-toire dont nul ne pourra jamais vous expulser, vous exiler. Le 1er juillet 1972, sur la route de Noirmoutier où les deux femmes de ma vie avaient juste commencé leurs vacances tandis que j'achevais de corriger les co-pies du bac, j'aperçus des peupliers semblables à ceux que je croyais me souvenir de voir à travers les carreaux du dortoir, au lycée. Les larmes aux yeux, je fis étape à La Flèche. Il pleuvait. Au volant j'alignai quelques phrases, les images orphelines surgirent, après quoi un sandwich fit l'affaire. Deux années d'attente, deux an-nées d'écriture, quelques refus d'éditeurs, et puis Mau-rice Nadeau me mit le pied à l'étrier. Les premières fois, dans son bureau de la rue de Condé, j'avais l'impression de jouer ma peau. Enfin il accueillit *Le soleil ni la mort* dans sa prestigieuse collection des « Lettres nouvelles ». Quelle fierté ! Je ne me lassais pas de parcourir son catalogue, de proférer les noms illus-tres : Pérec, Gombrowicz, Lowry, Schulz, Sciascia — pour ne citer que les morts ! Je n'oublierai pas cette entrevue de septembre 1975, rue Amélie : il avait mon livre devant lui, il le saisit, me le montra : « Vous êtes content ? » J'étais éperdu de gratitude. C'était pour moi comme un adoubement. Et lorsque Daniel Oster, que je ne connaissais pas alors, écrivit, dans *Les Nouvelles littéraires*, ces lignes de compte rendu : « La mort, les mots : l'oxymoron majeur, absolu, quotidien, terrestre, que j'écrirai : *occis mort rond*, en hommage à Serge Koster découvrant la vie des mots à l'heure où ce qui *ronge* son père devient ce qui *Ponge* Francis, ce qui *francise*, met en français, ce qui nomme et récite l'excellence même du langage, c'est-à-dire le lieu précis, rare, inouï, où le soleil et la mort peuvent enfin se regarder en face », c'était comme si m'était octroyé un nouvel acte de naturalisation.

Je sais aujourd'hui que rien n'est jamais gagné. La littérature m'est absolument indispensable, elle ne m'est pas une planche de salut. Mon opaque condition juive, j'avais beau la proclamer à tous vents, mes livres et l'actualité médiatique la réfléchissaient, parcourue et envahie d'ondes troublantes, qui finissaient par noyer un de mes personnages, Nil : l'homme de rien selon l'étymologie latine (*nihil*), mais aussi l'héritier de Moïse voguant sur le fleuve d'Egypte dans son berceau — les deux sources confondues, par l'amertume des événements, dans l'image finale du cercueil au fil de la Seine, sous une nuit très noire. Il y avait aussi que celle qui m'avait mis au monde et avec qui je ne m'étais pas entendu était morte. Elle fumait beaucoup. Trop. Cancer du poumon. Sous la dictée de la mort qui rôde, certains trouvent les mots : ainsi Claude Roy, atteint du même mal, et dont les pages bouleversantes, dans *Permis de séjour*, feront resurgir le mutisme de ma mère en face de son fils aîné. Un jour, durant l'année de sa maladie, elle me téléphona : « Fils, me dit-elle, je voudrais te parler. » Rendez-vous dans un bar de la rue des Ecoles, à deux pas de cette Sorbonne où elle avait englouti, trente ans plus tôt, les merveilles de notre littérature. Hiver, soir précoce. Elle se protégeait frileusement la gorge, j'imaginais le travail anarchique des cellules proliférantes, les lésions de cette chair dont j'étais sorti. Nous étions assis là, avec la lumière jaunâtre et le bruit des voitures. Elle me regardait, une supplique agrandissait ses yeux ; entre nous, comme un abîme, le silence nous suffoquait, j'éprouvais quelque peine à déglutir, et ce nœud de ma gorge, c'était celui de jadis lorsque, à l'âge de sept ans, l'infirmière m'avait maternellement emprisonné les bras, cependant que le chirurgien fouaillait au fond de ma bouche et déposait sur un plateau les amygdales sanglantes, mon cri étranglé. Je ne fuyais pas le regard de ma mère, mais rien ne venait dénouer ce silence, j'étais pris par ce « quelque chose de dur et de maladroit » qui devient le propre de l'enfant tôt et longtemps privé de la communication avec sa mère vivante, aux dires de Léautaud, expert dans cette triste partie. La mère est là, à portée des lèvres, et inaccessible. Quand les mots se décident à surgir, il est trop tard, la nuit close, Nil dans son cercueil, ma mère dans son urne — l'emploi de ces adjectifs possessifs qui ne procurent pas de possession a quelque chose de dérisoire qui me laisse mélancolique.

Maman est morte quelques mois avant le voyage du président Sadate à Jérusalem — beaucoup plus réussi que le mien cinq ans plus tard ! Sadate, qui avait jadis applaudi le nazisme, Sadate à la Knesset, Sadate à Camp David, signant la paix avec Israël ! Mes parents n'auront pas connu ce commencement de l'espoir. Ni la suite : l'assassinat de l'homme de paix par ceux qui ne veulent pas de la paix avec l'Etat des Juifs. Ni cette infamie : célébrant à sa mode l'attribution du prix Nobel de la Paix à Begin et Sadate, le prix Nobel de Littérature, Gabriel Garcia Marquez, prend sa plume pour leur décerner le prix Nobel de la mort. Quand le Juif cessera-t-il donc d'être un paria ?

« Souviens-toi de te méfier » : la devise de Mérimée, nous sommes condamnés à la faire nôtre. Ce récit pénètre maintenant dans les parages de sa névrose. Il en est de ma judéité comme de certaines substances que le phénomène chimique de la précipitation fait apparaître : un discours, un épisode avec quelques vocables, quelques actes ennemis, et ce composé insoluble de mon identité juive se dissocie de la solution où semblait résider jusque-là sa loi naturelle. Cet état de latence suscite, à de certaines minutes, une stupeur qui ébranlerait nos fondations si nous n'avions nos croyances. Comme si on entendait rouler le tonnerre à des lustres et des lieues d'ici et que soudain l'épicentre du séisme fût sous vos pieds. Qu'est-ce donc qui nourrit cette mentalité d'assiégé du Juif de France ? Un flot séculaire de rumeurs et de menaces, venant à intervalles irréguliers mais constants grossir le fleuve de cette « haine de l'imperceptiblement autre » qui définit, selon Vladimir Jankélévitch, l'antisémitisme. Parmi les instruments, les armes de la haine, il y a aujourd'hui les médias : c'est par leur canal que se multiplient souvent les assauts de l'antisionisme de gauche et de l'antisémitisme de droite, où se discernent les périls renouvelés de la judéophobie. Paranoïa ? Entre le négateur du génocide juif, le journaliste qui nomme sans sourciller « progressistes » les adversaires systématiques du petit Etat, les représentants de la dictature du nombre à l'O.N.U. faisant voter une résolution qui assimile le sionisme au racisme dans le même temps où leurs pays abritent des criminels nazis ; entre l'extrême-droite et l'ultra-gauche, entre deux abcès de fixation : celui des thuriféraires du nazisme, celui des amateurs de tiers-mondisme intégriste — quel autre trait d'union que celui de ce rejet de notre originale indifférenciation ? Pour moi, la peur se loge dans ce singulier écart : là où personne n'y voit que du feu, je distingue le pyromane en train d'acheter ses allumettes au tabac du coin.

La langue de bois et le processus de désinformation ne sont pas des monopoles totalitaires. L'excès se conjugue au non-dit pour produire une pauvreté intellectuelle et une pénurie morale qui contaminent l'ensemble du règne médiatique. Personne n'échappe à ce déferlement et à cette saturation de l'actualité. Parvenu à une période de ma vie où s'étaient pratiquement abolies les atteintes personnelles de l'antijudaïsme, je sentis s'altérer ma voix, comme si elle était parasitée par la voix des autres, dont les paroles, servant de légende à des reportages mal éclairés, m'investissaient avec une méthodique outrance : à travers Israël, c'est le Juif en moi qu'on mettait en posture d'accusé, qu'on sommait de se manifester comme Juif. Paradoxe supplémentaire : les Juifs eux-mêmes veulent vous annexer, vous intégrer à une catégorie à part. N'ai-je pas reçu un bulletin d'adhésion à l'association des Juifs de mon arrondissement ? Etant recensé Français, pourquoi figurerais-je dans un fichier distinct ? Encore un effort, et on m'estampillera fils d'immigrés polonais ! La Pologne, comment pourrais-je me souvenir d'un pays fossoyeur de mes ancêtres ?

L'ombre laiteuse des jours que l'âme déserte force la bêtise humaine à faire tache au fond du trou de la mémoire. Ainsi, lors d'un dîner, deux de nos amis nous rapportent ce délicieux aphorisme d'un de leurs proches : « La définition de l'antisémitisme ? C'est une façon excessive de ne pas aimer les Juifs. » Puis la conversation roule sur nos enfants, sujet de prédilection. Et voici : ils sont liés depuis longtemps à un couple non juif, dont la fille tombe fatalement amoureuse d'un garçon juif : « Vous vous rendez compte, un Juif ! » s'exclame l'amie de Rachel, dont elle n'ignore point l'identité, laquelle ne semblait lui avoir causé aucun dommage jusque-là ! Ces lapsus, cette inconscience ! Ma femme participe à des salons médicaux pour les praticiens juifs ; soudain, une jeune hôtesse pâlit, défaille : « Qu'avez-vous ? — Un seul, encore, ça passe, mais les voir en groupe, tous ensemble... » Comment argumenter ?

Juif de naissance, puisque mes parents l'étaient ; Juif par serment depuis l'âge de sept ans ; Juif dans mon soutien à Israël en chaque pouce de territoire diasporique ; toujours plus Juif à mesure des menaces et des offenses — je me posais la question : en quoi réside, à travers ma personne, l'humanité du Juif français ? Et je répondais : en l'alliance de la citoyenneté et de la conscience, de l'accidentel et de l'irrévocable, une forme d'appartenance au lieu et à soi qui ne me fut jamais promise.

3 octobre 1980 : attentat à la bombe contre la synagogue de la rue Copernic, seizième arrondissment de Paris. Première nouvelle : il y a une rue Copernic à Paris. Seconde nouvelle : il y a une synagogue à cet endroit. Troisième nouvelle, ultérieure : c'est une synagogue libérale : amer apprentissage, dont on se passerait volontiers. Et surtout, cette sidérante fulguration : on veut nous empêcher, on continue à vouloir nous empêcher d'être au monde. Nous y sommes de trop. Ce scandale de notre présence doit cesser immédiatement. La nuit est avancée quand le téléphone sonne : Marie, une amie de qui l'opinion sur Israël et la Pales-

tine diverge complètement de la nôtre, me demande si j'ai vu. Sous cet appel, non dit, il y a, je le sens, un signal, une solidarité, je suis avec toi, tu n'es pas seul. Seul, non : ma femme partage ma consternation. Nous restons cloués, au bord des larmes. Le lendemain, ma « cousine » Berthe me racontera : dès l'annonce, elle s'est rendue sur les lieux, elle a erré, ruines et désolation. Quel trouble s'empare des individus quand il s'agit des Juifs ! On hésite entre l'accablement et la colère à réentendre les sobres paroles du premier ministre de l'époque : « Ils voulaient frapper des Juifs et ils ont frappé des Français innocents ». Preuve que l'onde de choc n'épargne personne. Même l'immense manifestation protestataire où nous piétinâmes des heures à partir de la place de la Nation se brise contre cette indestructible muraille de la solitude juive en face de la coalition millénaire. « Seul, le pire arrive », prononce un personnage de Huysmans à la fin de son roman *A vau-l'eau*. L'évidence qui me foudroie, c'est celle-ci : partout où il y a des Juifs, il y a Israël. On ne tue les uns que pour abattre l'autre. La réciproque se présente aussitôt : quand on prend Israël pour cible, ce sont les Juifs qu'on vise. C'est si frappant que l'inconscient de chacun se démasque illico.

Je crois que j'eus plus mal encore le lendemain et les jours suivants. Me promenant rue de la Roquette, je vis qu'on avait avisé en inventant une curieuse parade : la synagogue Don Isaac Abravanel avait été entourée de barrières métalliques l'isolant de la circulation et du stationnement. Des policiers montaient la garde — pour protéger le bâtiment et ses hôtes, bien entendu. Protection ou alibi ? La douleur et le courroux me submergèrent. Cette ségrégation protectrice et humiliante, je la subissais comme une blessure physique. Agnostique, je ne vais pas à la synagogue. Pourtant, c'était comme si on avait envahi mon espace respiratoire. Ces barrières et ces agents présentaient un déni de justice, un spectacle offensant. C'était tout bonnement d'un cordon sanitaire qu'il s'agissait. N'est-ce pas de la sorte qu'on isole les porteurs de germes contagieux ? Notre pays est-il en état d'épidémie permanente ? J'appris par la suite que cette surveillance avait été exigée avant l'attentat et qu'elle touchait tous les édifices du judaïsme français. Soit. Je ne voudrais pas être taxé d'inconséquence. Je ne détiens pas de solution concrète et ne suis pas le dernier à exiger de l'Etat la sécurité pour ses ressortissants. Mais je m'interroge sur ce fait irrécusable : comment admettre que celui qu'on montre du doigt ce soit la victime ? Le faussaire, le négateur de l'extermination, le poseur de bombes, le criminel nazi trouvant asile chez les ennemis des Juifs, tous ils échappent à la sanction. Impunité qui équivaut à une perversion des principes moraux sans lesquels on ne peut concevoir une légalité, plus : une légitimité politique. L'outrage aux Juifs, c'est le piège tendu à l'Etat de droit. La démocratie est-elle désarmée ? Ou bien assistons-nous au règne du cynisme et de l'hypocrisie derrière le paravent du formalisme juridique, aussi dangereux parfois que la transgression des lois ? Qui m'empêchera, par exemple, d'établir un lien entre le boycott économique dont Israël était alors l'objet, sous la pression des Etats arabes, et ces entreprises terroristes dont le résultat, outre la mort des personnes, s'exhibait en cet intolérable cordon sanitaire ?

Nul doute : ils sont nombreux, ceux qui doivent penser que les Juifs, diasporiques ou israéliens, n'en finissent pas, depuis Abraham et Moïse, de faire des ennuis.

Nous n'en étions qu'au début du traitement que les années 80 étaient sur le point de nous administrer sans anesthésie. Même si j'avais voulu choisir de ne pas voir, je n'aurais pas été épargné par les bruits du monde. C'était cette rumeur hostile qui donnait à ma conviction son caractère irréversible. « La conviction est la conscience de l'esprit » ; cette maxime de Chamfort me garde de toute concession, de tout abandon. Plus s'enfle la voix qui veut détruire Israël, plus s'affermit la mienne pour sa défense. L'arbitraire système des deux poids deux mesures est trop flagrant : en 1987, l'opinion internationale s'émeut de la brutalité de la répression dans les territoires occupés, à Gaza notamment ; partout des titres énormes ; mais qu'un groupe palestinien arraisonne un bateau de plaisance, s'empare de deux fillettes, réalise cette « première » mondiale : une otage enceinte accouchant en captivité — qu'entend-on, que lit-on ? Un blâme du bout des lèvres, quelques lignes d'articles relégués en dernière page ! Et on voudrait que nous prêtions la main à cette duperie mortelle ! Mes propres errances ne me contrarient guère : ma défectueuse façon de visiter Israël, en avril 1982, n'est pas à interpréter autrement que comme un symptôme : celui d'un rapport passionnel, encombrant, que le sujet gère comme il peut, au millieu des clameurs.

À présent que j'y songe avec assez de constance, la mémoire lâche une image particulière de ce séjour que nous fîmes là-bas : celle des hommes et des femmes soldats se déplaçant sur les routes, l'air très détendu, sans aucune hâte. Cette image en appelle une deuxième, comme par aimantation, l'extrayant de la limaille enchevêtrée des souvenirs et des documents personnels : une photo de mon jeune demi-frère Jean-Marc, que je n'avais pas regardée depuis longtemps. Elle date de l'époque où, ayant émigré en Israël, il y accomplissait le service militaire sur la ligne du canal de Suez (donc entre 1967 et 1973). Sa silhouette se détache sur fond de sable jaune. Il est vêtu d'un ensemble vert de combat, pantalon et veste courte de toile. Il s'efforce de donner à ses traits incroyablement juvéniles une apparence belliqueuse, qui correspondrait ainsi avec le pistolet-mitrailleur «Uzi» qu'il braque vers l'objectif. La tension dut être excessive pour ce passionné de danse et de chorégraphie : il a quitté Israël pour les Etats-Unis, où, en compagnie de sa femme israélienne, il communique sa passion aux étudiants.

C'est par lui, du reste, que, lors du déclenchement, en juin 1982, de l'opération «Paix en Galilée», j'obtins des renseignements concrets sur l'état d'esprit qui régnait là-bas, où il était de passage dans sa belle-famille. Son témoignage, sévère, était sans commune mesure avec le raz-de-marée antisioniste et judéophobe qui sévit alors en France à travers les médias. Il m'écrivait, le 4 juillet : «Mis à part l'absence d'hommes dans les rues, il est difficile de dire que le pays est en guerre. À présent, c'est la lassitude qui domine. Le risque de crever après un cessez-le-feu est difficilement acceptable aussi bien par le soldat que par la famille : Sharon est la bête noire du pays. Les soldats qui reviennent du front ne parlent que de «désordre» et de «perte de temps» (...) ». Si tel était le point de vue dominant à l'intérieur, en tant que Juif de l'extérieur je n'avais rien à y redire. Mais en tant que Français, c'était à une révoltante expérience que j'étais confronté.

Nul doute : une judéophobie enfin affranchie du complexe d'Auschwitz s'exprimait, déferlait par le transit de la presse écrite, les ondes de la radio, les images et les commentaires de la télévision. Par tous les sens j'entrai en contact avec cette vérité : butant sur le phénomène d'Israël, les intelligences les plus solides s'y dévoient, dans un égarement dont on a déjà fourni maintes analyses et que résume la formule de la conscience malheureuse d'une Europe, d'un Occident incapables de se remettre de leur ancien impérialisme. Depuis le printemps de Prague et le septembre d'Allende, aucun événement international ne m'avait fait subir un semblable traumatisme. Mais Israël est-il pour moi un événement international ? Je serai honnête : il est un événement viscéral. Loin d'affaiblir ce sentiment déraisonnable, le voyage de Jérusalem m'a convaincu de magnifier, comme par cristallisation à rebours, comme par protestation intime, le désappointement en idolâtrie. Les atteintes de l'année 1982 ont durci cette Table de l'unique Loi : Israël tu adoreras — quoi qu'il fasse, si imparfait soit-il. Est-ce de ne point connaître, donc de ne pouvoir chérir mes morts, ceux de ma préhistoire, qui me rend si fanatique d'Israël ? Possible : autant d'intransigeance aurait sa source dans l'énigme d'origines inconnues. Démuni de cette lumière qu'irradie la participation au passé, il arrive qu'on se fabrique des phares dans les ténèbres ; sinon, on se briserait sur les écueils d'une Histoire inique.

Il y a aussi le secours de la plume. Lorsque la revue *Traces* me demanda une communication dans le cadre du dossier « Israël, le Liban et les Juifs de France », le moraliste en moi — je l'écris sans sourire — exprima quelques réticences concernant les victimes civiles des combats. Mais l'essentiel tenait en ma solidarité totale avec le petit Etat mis quasiment au ban des nations, pour changer ! Car ceux qui dénonçaient cette « agression », cette « invasion », avaient-ils été frappés d'amnésie lexicale quand la Syrie avait porté ses coups à la souveraineté du Liban ? J'avais l'impression d'une connivence objective, cynique, intéressée entre les pays arabes, les régimes communistes et la plupart des gouvernements occidentaux, dissimulant leurs profits idéologiques et matériels sous un réquisitoire mûrement réfléchi par les siècles : bouc émissaire de toujours, le Juif, individu ou nation, n'est-il pas coupable des maux de l'humanité ? Coincés entre le pétrole et l'Islam, les Grands devaient trouver commode de réactualiser cette chimère. Dans cette mise en demeure qu'on adresse en permanence au Juif d'Israël comme au Juif de la Diaspora : prouver jour après jour son droit à l'existence, il me semblait pour la première fois percevoir par où souvent l'antisionisme dégénère en antisémitisme. Je pensais : tant que persistera cette suspicion hostile, il ne faudra pas attendre de moi que j'abdique, cela va sans dire, ma singularité juive, mais encore le privilège affectif, moral et mythique que j'accorde à un pays qui n'est pas le mien. Si l'expérience des Juifs est le viatique d'Israël, la puissance d'Israël est le viatique des Juifs.

C'est qu'en ce printemps et cet été 82 il nous fallait une discipline de l'âme pour ne pas céder au découragement devant le travail de la confusion des esprits. Il y a quelque chose d'effrayant à découvrir sa solitude dans la sécession de sa famille politique. Vous vous promenez place de la République, en ce début de juillet, parmi d'autres citadins, vos compatriotes. Et soudain vous vous sentez exclu : syndicats et partis de gauche brandissent des pancartes, crient des slogans : « A bas Israël ! » « Israël-SS ». Ou bien : « Begin nazi » et « Halte au génocide palestinien ! » Et vous voilà redevenu le Juif de nulle part, ignominieux, enseveli sous l'ordure.

Job sur son fumier. Pis : dessous. Allons, Juif, déjà les gros mots ?

Mais aussi : un tel haro sur Israël ! Beyrouth devient le centre de l'univers, le lieu de l'accusation, le nœud de la culpabilité. On ose tramer une analogie entre les combattants palestiniens et les insurgés du ghetto de Varsovie. Dans la bouche d'un présentateur télévisuel, l'action des troupes du peuple hébreu est qualifiée « l'acte le plus barbare du vingtième siècle ». Dans la tradition du bourreau de soi-même, des Juifs de France font chorus : le 15 juin, ils protestent devant l'ambassade d'Israël. Parmi eux, notre maître à tous, Vladimir Jankélévitch. Dieu merci, il se reprit très vite et dans une lettre ouverte confia son regret d'avoir participé à la manifestation et prêta le serment d'une « fidélité (...) entière et inaliénable » à Israël.

Ainsi avais-je l'âme enrouée, au seuil de la belle saison. La sensation me ravageait d'être traqué dans ce qu'on a de plus indémontrable concernant sa condition : en chaque Juif visé c'est l'humain qu'on offense. Les abus du langage dans la presse et dans la rue, c'est la poursuite de la guerre contre Israël et les Juifs par d'autres moyens. « Une guerre à outrances », selon la formule de Paul-Jean Franceschini dans une raisonnable étude du *Monde* (30 juin). De ces outrances il n'est pas improbable que la suite procède, le lundi 9 août de cette année rude, dans le quatrième arrondissement de Paris, ce quartier qui symbolise cette loi judaïque : l'élection implique la cohésion, antinomique de l'expansion. Le carnage de la rue des Rosiers est issu des images et des mots déversant leur boue sur Israël.

Cet été-là, nous achevions le périple de nos vacances à Nice, où se mariait un membre de la belle-famille de mon frère germain. Du tableau animé de ces noces émerge dans mon souvenir le personnage de Moshé Keller, beau-père de ma sœur Angélica, peut-être parce que, gravement malade et proche de sa fin, les paroles qu'il prononça résonnent sur fond de musique, de lumière et de mort et font resurgir l'affaire Finaly, dont il fut le protagoniste. Lors de la Seconde Guerre mondiale, un couple de Juifs autrichiens, les Finaly, réfugiés à Grenoble, furent déportés. Ils avaient confié leurs deux enfants à la directrice d'une crèche grenobloise, Mademoiselle Brun. La guerre finie, leur oncle vivant en Israël les fit rechercher. Moshé Keller, averti par des amis communs et vivant à Grenoble, accepta cette tâche. Il retrouva rapidement la trace des enfants, mais Mlle Brun refusait de les rendre. Ils avaient été baptisés par ses soins. Comme il apparut alors, l'Eglise catholique, suivant sa doctrine traditionnelle, considérait de ce fait les enfants Finaly comme siens. Durant des mois, l'affaire Finaly occupa la première page des journaux français. M. Keller organisa campagnes de presse, intenta procès sur procès afin d'obtenir justice. Les enfants furent kidnappés et séquestrés dans différents collèges catholiques et établissements appartenant à l'ordre de Notre-Dame-de-Sion, en France, en Italie, en Espagne. Le clergé exerça de multiples pressions sur les magistrats et les hommes politiques pour garder les enfants convertis. Cette affaire mit en évidence la morgue de l'Eglise catholique, son antijudaïsme latent. En 1953, les enfants Finaly furent remis à leurs parents; ils vivent aujourd'hui en Israël. Ce qui me frappe, c'est cette exigence morale qu'incarnait Moshé Keller, et la profonde fidélité juive qui traverse les siècles et rencontre des hommes comme lui. Je l'entends encore à ce mariage : « On ne prend jamais assez congé. Quand je suis parti de ma ville, mon père m'a accompagné au coin de la rue. Il m'a dit : « N'oublie jamais ta famille ». Ma mère m'avait dit à la maison : « N'oublie jamais que tu es juif. On ne prend jamais assez congé ». Les cérémonies suscitent les confidences. J'entends aussi un vieux monsieur murmurer : « J'ai passé plusieurs années... cinq... en Allemagne... Dans un camp ». Et aussitôt après il y eut la tuerie de la rue des Rosiers. Et le mercredi 11 août nous allâmes au Mémorial du Martyr juif inconnu, rue Geoffroy l'Asnier. La foule stationna longtemps, tandis que le crépuscule tombait avec douceur. Nous vîmes arriver Robert Badinter, Garde des Sceaux, sa kipa sur la tête, le visage hâlé. Les discours étaient retransmis par haut-parleur. La voix de Claude Lanzmann retentit dans l'air bleuté. Il attaque un folliculaire du journal communiste, à qui restera, tonne-t-il calmement, le sobriquet de « Moreau-Mort-aux-Juifs ». Brève minute de funèbre jubilation. Parce qu'il a comparé Oradour et Beyrouth et permis l'aide française pour l'évacuation de l'O.L.P. de la capitale libanaise, le président de la République est conspué par des porteurs de pancartes : « Mitterrand trahison ! » On les fait taire. Dans ce vieux quartier si tranquille, parcouru par le roulement assourdi des voitures le long de la Seine, on éprouve un indéfinissable malaise : comment surmonter les effets de la catastrophe ?

En scrutant ses causes ? C'est ce que je tentai dans un texte publié le lendemain, jeudi, par *le Quotidien de Paris*. L'idée directrice en est qu'il n'y a pas de discours innocent sur Israël. Deux phrases me semblent mériter citation, parce qu'elles sont indirectement à l'origine du présent récit : « La France est ma patrie, le lieu de ma langue et de mes affections. Mais je nourris pour Israël, qui n'est pas mon pays, un senti-

ment sans rémission ». Outre que ces phrases conden-
sent mon expérience de la judéité française, j'ai été
frappé de les voir reprises à titre de témoignage par
Fernand Braudel dans son ouvrage posthume, *L'identité de la France.* Nanti de cette caution, j'ai pu me
lancer dans une entreprise que j'avais d'abord récusée
par peur de m'aventurer dans des zones trop obscures
et douloureuses de l'être. Je n'ai toutefois aucune illusion sur la valeur cathartique de ce travail.

Au demeurant, la publication de cet article, loin de
dissiper mon trouble, lui donna matière à s'accroître
par le relevé d'un détail révélateur concernant la perpé-
tuelle équivoque du « problème » juif. On ne m'avait
point averti que mon papier aurait son sens infléchi
en s'intégrant dans une enquête plus vaste, regroupant
une série de textes sous le titre généralisateur et schéma-
tique : « *Les Français sont-ils antisémites ?* » impliquant
une répartition manichéenne des réponses entre le camp
des « OUI » et le camp des « NON ». Recruté malgré
moi dans une guerre idéologique et verbale en quelque
sorte consécutive à l'attentat, je me retrouvai dans le
commando des « OUI », en bonne compagnie, assuré-
ment, mais ulcéré, atterré par cette situation : apparaître comme un qui se dresse contre *les* Français (donc
contre moi-même) et m'érigeant en juge de l'ensemble
d'une nation à la communauté de laquelle je dois, autant qu'aux miens, de m'en être sorti. De surcroît, rien
n'est plus délicat à manier que le concept de responsabilité collective. Sans être prémuni contre l'idée qu'il existe en France un antisémitisme latent à gauche comme
à droite, selon une tradition héritée du XIXe siècle, et
dont peu d'écrivains sortent indemnes, si je me réfère
à l'admirable étude de Léon Poliakov, *Histoire de
l'antisémitisme* (voir notamment le troisième volume,

De Voltaire à Wagner), ce me fut une grossière secousse que cet enrôlement involontaire dans ce qui pouvait passer pour une nouvelle « guerre des Juifs ». L'état de choc provoqué par la tuerie de la rue des Rosiers se prolongeait, de mon fait, en une désastreuse écriture, vidée de l'espoir d'une consolation.

« Tu devrais te plonger un peu dans la Torah », me répète, dans son dynamique éclat de rire, notre grande amie Christiane B., exceptionnelle lectrice testamentaire devant l'Eternel. Ai-je suivi son conseil ? Pas vraiment. Car en dehors de toute autre attache, ce qui compte, c'est la défense de l'idée juive à travers l'existence d'Israël. Cette idée juive n'entretient pas de rapport avec la religion ni même la culture. Je ne peux pas plus la répudier en moi que mon appartenance au genre humain. Qu'une goy soit, culturellement, plus « sémite » qu'un Juif n'est d'ailleurs pas sans me réjouir ; c'est un excellent, sinon efficace barrage dressé contre les judéophobes. Mais aujourd'hui, ceux-ci ne redoutent plus de laissser craquer le vernis de la conscience : à quoi bon la gêne et les scrupules hypocrites quand, en lieu et place de « Mort aux Juifs ! », on dispose de « A bas Israël ! » ? Un slogan cache l'autre, la haine pavoise, affranchie du vague remords officieux que causait jusque-là le recensement interminable des cendres. L'humanité gît à Yad Vachem.

Mon père aimait beaucoup les teintes de l'automne et la déambulation autour des gares. Je m'en suis souvenu, le lundi 20 septembre 1982, tant me tint le désir de la fuite. Il faisait beau pourtant et le soleil créait une diversion pour mon esprit, accaparé à l'excès par ce slogan de mon mauvais goût : « Pologne-O.L.P.

même combat ». C'est que nous avions vu le pape polonais accueillir au Vatican un négateur de l'Etat hébreu, avec lequel ce même Vatican refuse de nouer des relations diplomatiques. Les motifs d'inquiétude s'amoncelaient : évacuation de Beyrouth par les contingents de la force multinationale ; assassinat de Bechir Gemayel, dont aussitôt l'hôte de Jean-Paul II affirme qu' « il s'agit d'une provocation de la part des Américains et d'Israël pour permettre aux Israéliens de pénétrer dans Beyrouth », etc. J'ai beau lutter, de plus en plus, au cours de ces mois, la voix juive en moi emprunte le canal de l'expression collective : le concert autour d''Israël est si assourdissant qu'il n'y a d'exutoire que dans le discours de la solidarité. Mais voici le pire : les massacres de Sabra et Chatila. Le pire : je pense bien sûr aux victimes ; et aussi aux ricochets, pour ainsi parler : imaginez, si les Juifs, les soldats de l'Etat juif stationnent à cent cinquante mètres de la catastrophe !

Il est environ treize heures (c'est comme si j'avais un magnétoscope dans le crâne, l'enregistrement se déroule au présent et au ralenti). Je traverse la cour, j'entre dans la salle des profs, je me dirige vers mon casier et puis je vois, sur la gauche, assises autour d'une table, et me regardant avancer vers elles, ces quelques collègues, dont le trait commun est d'être peu ou prou dans le cercle de mon amitié ou de ma sympathie (l'estime va de pair). Je souris encore. L'une d'elles me tend une feuille. Je pourrais m'abstenir de la lire, je ne souris plus, je ne peux m'empêcher de grimacer en la parcourant à toute vitesse, impossible de rester dans la sphère de l'anodin ou du comique, pensez, le sort des victimes de l'impérialisme sioniste court au bout de leurs stylos, petites boules de billard qui gagnent leurs trous, là où il fait bon avoir bonne conscience, je jette la feuille sur la table, je m'étrangle presque : « Je ne signerai pas un torchon pareil ! » La sensation d'écorchement vif ne me quittera pas de trois jours, je voudrais être le clown qui tourne tout à la farce, et allez donc, comme on dit dans les pièces du boulevard, ou recevoir une tarte à la crème en pleine face. Hélas ! Il ne s'agit pas d'un film muet à la Mack Sennett, l'humour n'a pas son rôle ici, il grincerait comme une insupportable dissonance. « Pourquoi te sens-tu personnellement visé ? » me demande je ne sais plus laquelle, Nicole, Danièle, Christine ou Marie. « Ce n'est pas toi qui es en cause », ajoute la même ou une autre, juive antisioniste. L'idéologie comme une herse entre nous. Leur très affectueuse détermination à condamner Israël sans me blesser n'empêche pas cette image : elles constituent un tribunal et je suis l'accusé. Mes heures de cours, je les assume dans un état proche du dédoublement schizoïde : celui qui parle en public, celui qui pleure en cachette. Aberrante évidence : pour rien au monde je ne voudrais vivre là-bas ; pour rien au monde je ne laisserai détruire Israël. La ligne de démarcation passe par Auschwitz. L'obscénité, la monstruosité du génocide, ce ne sont pas des clauses de style, nous n'en sommes pas les inventeurs ; en prendre acte, c'est mettre fin à deux millénaires de honte. Je ne me vois pas me lancer en cette minute dans un discours de cette sorte. Je le fabrique dans ma tête durant l'après-midi, tandis que j'écoute ma voix dans la classe, en marge de ce qui se trame. « Bien joué, M. Voltaire ! » : mes lèvres remuent sur ce ricanement, tandis qu'à la sortie du lycée je jette un œil sur la tête de pierre au-dessus du portail : non, il ne grimace pas, notre philosophe, il demeure impavide, lui qui gâcha beaucoup d'encre et de salive à pourfendre, au nom de l'humanisme et en secret de la névrose, ces indécrottables monothéistes déprépucés, mes ancêtres non gaulois.

Du côté de la presse, nulle déception : le corps et l'âme meurtris d'Israël sont depuis si longtemps destinés à la menace et à la blessure qu'il serait impie de déroger à la convention. Je résume le faux dilemme : Israël intervient ? Ingérence. Israël s'abstient ? Connivence. Dans leur zèle, ces procureurs n'ont cure d'un élément décisif : désigner les auteurs du massacre. Personne — journalistes professionnels, responsables libanais, dignitaires de l'Eglise — personne ne déplore publiquement l'aveuglante vérité : des phalangistes chrétiens ont assouvi dans le carnage une sorte de vengeance tribale qui associe les pratiques archaïques et la technique moderne. Qui douterait encore que le traitement réservé à Israël — dans les colonnes des journaux, dans les officines des chancelleries, à la tribune de l'O.N.U. — ressemble diablement à celui « mérité » par les Juifs jusque-là ? Israël, les Juifs : d'une pierre deux coups ! Même besogne en sens inverse pour les partisans avoués de la destruction du petit Etat démocratique, seul capable au monde non seulement d'encaisser les coups de l'adversaire, mais de se les assener lui-même par le biais de sa presse et de ses commissions d'enquête.

En effet. Au lycée, ce mardi 21 septembre 1982, grande effervescence, sensible dès le trottoir de l'avenue de la République, sous l'effigie du saint patron des Lumières et de son vis-à-vis, le bonhomme Ampère. Enfin, grâce à Israël, il se passe quelque chose d'original dans l'Education nationale ! Rien de comparable ne s'était produit depuis mai 1968. En souvenir de cette époque, j'ai envie de crier : « Nous sommes tous des Français juifs israéliens ! » Chiche ?

121

J'apprends vite que des professeurs ont décidé un débrayage lors de la récréation de dix heures et pris une initiative sans précédent : convoquer les élèves des deux cycles dans la cour d'honneur et leur donner lecture de deux motions magistrales. J'enseigne ici depuis septembre 1969 : je m'interroge sur les raisons qui ont valu aux affaires du Chili et de l'Afghanistan l'opprobre de l'indifférence de mes collègues. Encore un effort et Sharon et Begin passeront pour les plus impitoyables tyrans de l'Histoire. Sanguinaire démocratie de Jérusalem. C'est la leçon que ce tohu-bohu suggère. Je demeure ahuri devant l'éventualité des dégâts : veut-on mettre le feu aux poudres dans ce lieu où étudient ensemble deux importants groupes d'origine arabe et juive ? Je fends la cohue des élèves. Mon regard accroche les titres du journal communiste, affiché dans notre salle de réunion. Je l'arrache, le froisse et le jette au sol.

Après deux heures de cours, au signal de la sonnerie, à nouveau l'espace se peuple rapidement. Nul besoin d'être expert pour sentir les rages contraires agglomérer les deux camps. On avance une chaise. Telle porte-parole y grimpe, réclame le silence. Je m'adosse au mur du gymnase, tout près.

Première motion, à l'adresse de M. le Président de la République : « Les enseignants du lycée Voltaire, indignés par les massacres dans les camps palestiniens de Beyrouth sous la surveillance de l'armée israélienne et la responsabilité directe du gouvernement israélien, qui, en violation totale des accords, poursuit une politique de fait accompli, sans aucun respect des engagements pris vis-à-vis de la communauté internationale, demandent :

1. la rupture des relations diplomatiques et économi-

ques avec l'Etat d'Israël jusqu'au retrait total des troupes israéliennes du Liban ;
2. la reconnaissance diplomatique officielle de l'OLP par la France.

Ils débrayeront demain en signe de protestation.

Je reconnais les phrases infâmes qu'on m'a demandé de cautionner la veille. A les transcrire, je sens encore l'insurrection près d'éclater en moi. Une exégèse littérale serait accablante pour les signataires. Mais à l'époque comme à présent, je me situe ailleurs que dans le discours : une image s'amplifie, un océan de siècles se soulevant en raz-de-marée à l'aplomb des Juifs médusés.

La deuxième motion, à destination de l'ambassade d'Israël, exigeait, de la part des enseignants du Lycée Voltaire à Paris, « le retrait immédiat et inconditionnel des troupes israéliennes de Beyrouth et du Liban ». Qui ne souscrirait à un vœu si pacifique ? D'autant plus qu'il faudrait être bien suspicieux pour ne pas fondre devant la sympathie animant une motion ultérieure, où l' « assemblée générale » exprime son « soutien aux Israéliens qui ont, dimanche à Jérusalem, manifesté leur indignation devant les massacres perpétrés dans les camps palestiniens de Beyrouth ainsi qu'à tous ceux qui, en Israël, s'élevant contre la politique expansionniste du gouvernement Begin, mènent un combat réel et difficile pour le retrait des troupes israéliennes de Beyrouth et du Liban et pour la paix au Proche-Orient dans la reconnaissance des droits fondamentaux du peuple palestinien et de tous les peuples de la région ». Suave œcuménisme. Je laisse à l'historien et au satiriste leur lot : l'un pour rendre compte de la signification de ces messages ; l'autre pour en extraire l'hypothétique saveur. Je n'analyse pas, je raconte, et c'est déjà beaucoup d'inconfort pour un seul homme.

L'oratrice a mis pied à terre. Des salves d'applaudissements et un tonnerre de huées ponctuent la fin de sa déclamation : clichés, langue de bois et fracture prévisible du public en deux clans. On se tourne vers moi, figé à deux pas. On m'invite à défendre ma cause. Je me sens si solitairement, si singulièrement juif que les arguments me manquent dans ce contexte où il s'agit de faire corps avec ce qui chez moi fonctionne dans l'ordre du fantasme et du mythe. Ceux à qui j'ai relaté mon voyage raté il y a quelques mois doivent sourire sournoisement. J'ai bonne mine dans ce sabbat. La migraine trafique mon crâne. Gorge occluse, nerfs en pelote, je monte sur la chaise, symbole trivial en face de l'enjeu. J'ouvre la bouche. Le couac est au rendez-vous. Et autre chose aussi : voici que ça se présente au ralenti, ça s'approche gracieusement, un projectile non identifié que j'évite de justesse à l'aller, mais qui, s'écrasant contre le carreau du gymnase, m'éclabousse en retour d'un jus sombre aux taches indélébiles sur le col de mon blouson beige. Elle a voyagé des champs de Picardie jusqu'au cœur de Paris, la plante potagère de la famille des chénopodiacées, la betterave dont je suis fort amateur dans mon assiette, mais dont les propriétés balistiques m'ont ce jour-là paru très amères. Qui donc s'en était servi à ces visées incongrues ? Un ennemi des Juifs ? Un vétéran des barricades ? Un barbare au prognathisme bestial ? Un pro- ? Un anti- ? Je l'appris peu après : un jeune alter ego, un élève juif extérieur à notre lycée, un membre du Bétar, ce mouvement activiste qui, en l'occurence, avait commis une erreur sur la cible. Pathétique ? Grotesque ? Je descends de la chaise, littéralement sonné. Tous ils m'assomment. Je m'esbigne, la tête basse, la queue entre les jambes, victime d'un fugace raptus anxieux qui me dégoûte du monde entier. Moralité : qu'Israël compte davantage sur les baroudeurs géniaux de Tsahal que sur les intellectuels sans tripes de la Diaspora. Cet auto-dénigrement ne m'apaise pas. J'aurais voulu inventer les plus terribles représailles contre moi. Cette piètre prestation m'inspira l'essai d'autres conduites. Ainsi, le lendemain, au sortir d'un sommeil houleux, je me lançai dans une offensive ostentatoire en affichant, dans la salle des profs, cet encadré de la page deux du *Monde* qui, cette fois, arrangeait mes affaires :

« Depuis 1975
Une longue suite de tueries ».

Miracle : pas de trace de cet Israël honni dans l'énumération des horreurs que les sectes antagonistes s'étaient infligées au cours de la guerre civile libanaise. En marge j'écrivis : « Qui d'entre vous a protesté ? » Quelques heures plus tard, réponse : le papier avait disparu du panneau. Peu importe : je me sentais un peu moins mal dans ma peau.

Un ou deux jours après, le *Quotidien de Paris* titra, non sans partialité dans l'interprétation des faits : « Antisémitisme : incidents entre professeurs et élèves du Lycée Voltaire ». Tout en désapprouvant ce trop brutal libellé, je ricanai quand on me proposa de me joindre à l'action en justice intentée au journal par nos apprentis sorciers ; du reste, ils n'obtinrent pas gain de cause ; le tribunal jugea qu'il n'y avait pas diffamation ; il ne me parut pas cruel de m'en réjouir. Nos opinions respectives sont inébranlables : s'ils définissent « l'antisémitisme comme la peste », ils récusent l'idée d'un inévitable glissement objectif de l'antisionisme à l'antisémitisme ; ils s'indignent si je prétends qu'ils appliquent à Israël des exigences proprement exorbitantes par rapport aux critères concernant le reste du monde. Pourtant, comme je dînais chez l'un deux, professeur de philosophie, je pus vérifier que je n'avais pas tort. Questionné par moi sur cette attitude des gens de gauche s'acharnant contre un des plus nobles Etats de droit, il me rétorqua : « D'un pays comme l'Ouganda, où règne un régime de terreur, qu'aurions-nous à attendre ? Mais d'Israël, Etat démocratique s'il en fut, nous nous devons d'exiger toujours davantage ». Et moi je me demande : ces sommations auront-elles jamais de cesse ? J'ai parfois préféré le silence d'une brouille à ces dialogues pourris.

Difficile de se rasséréner dans le climat d'animosité que certains se plaisent à épaissir autour de nous. Il arrive que Paris soit la capitale de la vocifération. Ceux qui savent manier les mots en font un usage assassin. Les colonnes des journaux leur fournissent l'asile d'un champ de bataille dépourvu de risques personnels : ils y mettent au point l'alibi moral de leur haine ; ils la vomissent sur le clavier de leur machine et la répandent sur nos fins d'après-midi. Les phrases qui se profèrent à l'abri du danger arment dans l'ombre le bras des exécuteurs des basses œuvres. Ces écrivains font office de croque-morts. Nous les lisons, et la tristesse s'abat sur nous, elle nous écrase. J'abandonne ici mon devoir de citer ceux dont je devine qu'ils m'ôteraient volontiers mon droit de cité. N'est-ce pas à désespérer de la langue, de la raison humaine ? Même si je brûle mes archives, elles continueront de bruire dans les bibliothèques, pour l'édification de nos héritiers. N'importe : je resterai intraitable. Je suis bien du « peuple à la nuque raide ».

Parlons d'autre chose. Ou de la même chose, puisque c'est notre sujet, mais autrement. En réglant le poste sur une longueur d'onde différente. La longueur d'onde de la littérature, par exemple, pour changer. Celle de l'écrivain israélien David Shahar. Ce sabra nous raconte, en de merveilleuses ramifications de la mémoire, les temps pas si lointains où, à Jérusalem, les Juifs et les Arabes vivaient dans la communauté de l'air, des rues, des histoires. Quand nous sommes en sa compagnie, la déception ne ronge pas l'idée du voyage, comme elle le fit naguère. Mais peut-être que ce réel-là est encore trop fantasmatique. Peut-être mon amour s'y contente-t-il de trop d'images hallucinatoires. S'il en est ainsi, parlons d'un réel purement réaliste. Le petit chat est mort. Je me rappelle notre Muscade, « endormie » par le vétérinaire pour une tumeur récidivante. On a beau opérer, pratiquer l'ablation, ça revient à l'assaut, increvable comme la haine. Je la revois, notre Muscade au pelage noir recouvrant une couche de fourrure blanche : le rite de son allongement sur le radiateur contre mon bureau, les après-midi que je passais à noircir du papier. La fente de ses yeux tournés vers moi. La plus gentille chatte goy de la création. Ça, c'est du réel, et si paisible. Certes, je suis un mécréant, mais j'aime que ma révolte contre la souffrance des animaux ait une de ses sources secrètes dans la loi de la kachrout qui commande d'épargner la douleur lors de l'abattage. J'écris, elle somnole, nous nous regardons, ça baigne. Comme la rose dans le soliflore. Chaque matin et chaque soir à guetter le niveau de l'eau afin que la fleur ait son content. Pas de déboires. Pas de dépression. Vie tranquille.

Retour à la littérature, cette sorte de réel tellement

fantasmatique. Le vice peut corrompre les mots. L'imagination n'est pas toujours une féerie. Ces temps derniers, même les honnêtes gens jouent le pire avec les phrases. Alors que dans la coulisse n'en peuvent mais les patronymes des six millions de morts, des hommes courtois et subtils dialoguent à leur propos comme des paléontologues devisant d'espèces fossiles. Dans les dîners en ville nous évoquons cette horreur que le langage nomme comme il nomme toutes choses, même l'indicible : signalant cet indicible, nous nous dédouanons à bon compte, le verre à la main, le goût du beaujolais villages délectant notre palais, et nous parlons. Il le faut bien, la mémoire est à ce prix, mais nous savons que l'impossible ainsi remémoré est de nouveau possible. Cette futile actualité verbale me rend malade. En octobre 1985, je participai à l'émission de France-Culture, « Lettres ouvertes », que Roger Vrigny anime avec Christian Giudicelli. Le thème : un cahier de l'Herne consacré à François Mauriac. Bientôt le débat s'infléchit vers le problème de la responsabilité de l'intellectuel. Mauriac avait-il eu raison de solliciter du général De Gaulle la clémence en faveur de Robert Brasillach ? Claude, le fils de François Mauriac, avait son opinion, que je ne me rappelle pas. La mienne était sans nuance, comme d'habitude. Qualifions-la d'inexorable, pour faire bonne mesure. J'aurais pu l'étayer de cette précision, que, quelque temps après, me fournit Luc Estang : interrogeant l'aumônier de la prison : « Que peut-on dire pour la défense de Brasillach ? — Rien. », lui répondit cet homme. En effet. Drieu, lui, avait misé, perdu et tranché. Trajectoire d'une cohérence sans faille. Au micro, mon opinion me valut une verte riposte de Robert Mallet : « Vous, bien sûr, vous l'exécuteriez encore deux fois plutôt qu'une ! »

En ce domaine, la littérature et la morale ne sont pas seules en cause. S'y ajoute une dimension transcendante, que Michel Tournier souligne avec pertinence lorsqu'il écrit dans *Le vent Paraclet* : «Dès lors qu'on fait profession d'écrire en français, on a, je pense, avec la langue française des relations constantes, intimes, orageuses, amoureuses, bref conjugales, telles qu'aucune autre profession, aucun autre art n'en peuvent créer, et qui confèrent à l'écrivain un degré de "francité" incomparable». C'est cette équivalence «entre langue et nationalité» qui devait faire encourir à Brasillach le risque et la sanction suprêmes, ontologiquement parlant. Mais le mystère reste entier : c'est le même homme qui produit cette merveille d'érudition savoureuse, l'*Anthologie de la poésie grecque*, et qui déballe une rage incoercible contre ces frères méditerranéens des Hellènes que sont les Juifs! J'y pensais avec une naïve perplexité, lors de la reprise d'*Esther* par la Comédie-Française, et je me demandais, toujours ingénument, si une actrice antisémite incarnerait volontiers et plaisamment l'héroïne racinienne. Coïncidence : retour du théâtre, je vois, j'entends à la télévision cet extraordinaire conteur qu'est Alain Decaux déplorer le sort de Brasillach, insistant, presque les larmes aux yeux, sur son procès bâclé entre treize et dix-huit heures, et certes c'est expéditif, mais moins que le verdict sans jugement exécuté contre les millions de Tsiganes, malades mentaux, homosexuels, communistes, gaullistes, résistants, Juifs — tous à hurler sous la torture ou à devenir fous dans les wagons plombés, blindés — un trajet d'une durée infinie dans des conditions abominables... Et la mémoire martyre de Jacques Decour, de Max Jacob, de Robert Desnos, le bavardage des uns et le mutisme des autres ne l'ensevelissent-ils pas une deuxième fois?

Fut-il jamais siècle où la littérature ait davantage maille à partir avec le réel que le nôtre ? Faut-il conclure à une crise sans trêve de leurs rapports ? Ou bien le soupçon loge-t-il dans mon regard ? Comment se fait-il qu'un écrivain aussi engagé dans la judéité qu'Albert Cohen, je ne puisse lire ses romans sans malaise ? Sa vision juive de ses grotesques Juifs me blesse au point que je ne vais pas plus avant dans ses histoires. Ma chance aura été de découvrir son œuvre par la fin, où se situe le meilleur à mes yeux.

Musique de la mémoire : elle sourd et ruisselle continûment de ses *Carnets 1978*, où le temps apparaît tout cousu, couturé des balafres de la vieillesse et produit ce volume comme on érige une stèle votive au-dessus du néant. C'est un monsieur de quatre-vingt-trois ans qui nous adresse son ultime message. Un tel périple pour s'enclore dans ces pages ! Comme un siècle crépusculaire qui s'abîme dans notre cœur chaviré. La mort hante cette expérience et rarement il en fut parlé avec une angoisse si immédiate et si sensible. Non point rempart, mais recours contre la destruction s'élève la voix de Cohen, qui vaticine, qui prophétise, qui ressasse, tentant d'arracher à l'oubli les figures aimées, enfouies, en allées pour jamais : *jamais plus*, leitmotiv de ce texte incantatoire qui nous étreint au-delà de toute expression, de toute discussion. Ses figures sont les nôtres. Figure de la mère, « courbée souveraine », humble et noble dans le cœur du fils qui, près de la rejoindre, la célèbre sans que tarisse la source de son amour. Figures des femmes aimées, « les merveilleuses de ma vie », ses inspiratrices, celles par qui et pour qui ses livres furent, lui qui refuse de se voir en écrivain professionnel, car son métier fut d'être diplomate et de travailler pour les réfugiés, les apatrides, les délaissés du monde ; et lui aussi découvrit l'exclusion, à l'âge de dix ans, et il sait que le racisme est la chose du monde la mieux partagée. Mais contre cette horreur il y avait l'amitié, et je me demande si, depuis Montaigne et La Fontaine, on a su chanter l'ami comme Albert Cohen chante Marcel Pagnol, connu dès l'enfance à Marseille et adoré jusqu'à la fin, « à jamais mon frère et ami, tout seul maintenant, imbécile de mort et de triste mutisme ». Et encore il y a, revenant tout au long de ces déchirantes et nostalgiques phrases, organisées à l'intérieur, au plus intime, comme des versets bibliques, il y a l'invocation de Dieu (« mon aimé, mon silencieux »), et le désir de la foi, l'avidité de croire que dément sans cesse le regard lucide, incapable de s'en faire accroire, et ce sont des apostrophes, des plaintes, des mises en demeure, des « scènes », tout cela que résume cette formule : « Je ne peux croire en Toi et je ne peux vivre sans Toi ». Si les aimées disparaissent, si Dieu se tait, il ne reste plus au vieillard que la litanie des thèmes inlassablement tramés et filés, et enfin, et surtout, la « tendresse de pitié » pour les « frères humains » et l'affection exaltée pour le peuple survivant, ce peuple « ennemi des immondes lois de la nature » (l'hégémonie, le meurtre) et qui faillit payer de son existence son acharnement à instituer le règne de l'humain, mais aujourd'hui « hardi et rieur et fort sous le soleil de son ciel retrouvé ». Ce Cohen des *Carnets*, je l'aime. Il psalmodie le murmure de notre âme. Cette voix juive qui se coule dans la prose poétique du fragment personnel offre à chacun de nous, quand nous sommes sans boussole, le souffle ténu et opiniâtre de la lampe dans la nuit.

Durant ces mois où ma mémoire, déployant ses antennes, tâtonnait vers le lieu insaisissable que je ne savais nommer — noyau ou nœud de l'énigme de l'identité -, une boulimie de lectures tantôt m'approchait tantôt m'écartait de ce centre opaque et incertain où était censé se tenir ce moi sans racines. Sans céder à l'admiration convenue des valeurs décrétées, j'explorais les ouvrages d'esprits auxquels je réclamais la combinaison indissoluble de la cohérence interne et de la morale esthétique comme pièces à conviction.

L'échec était au rendez-vous quand je repérais un porte-à-faux de la littérature et de la judéité dans le traitement du génocide par l'imaginaire romanesque ou cinématographique. Question essentielle : se compromet-on avec Auschwitz si on l'exploite comme gisement de fiction ? N'est-ce pas une manière ontologiquement offensante de rendre « anus mundi » respirable, autant dire hygiénique ? En jouant sur les ressorts aristotéliciens de la terreur et de la pitié, ne s'en tire-t-on pas à bon compte ? De même que l'ombre du discrédit plane nécessairement sur toute pensée séduite par le national-socialisme, de même toute prose se contamine à broder autour du thème d'Auschwitz, précisément parce que ce ne peut être un thème, un motif de la broderie. Quelque chose a été atteint là qui refoule toute reproduction ou représentation. C'est le tabou absolu. On l'éprouve en lisant le roman de William Styron, *le choix de Sophie*. L'obscénité monstrueuse de l'intrigue concentrationnaire, la complaisance scabreuse de l'érotisme torride qui règle les rapports des personnages, la vaine tentative du romancier à contrebalancer l'ignominie des bourreaux par la fièvre sexuelle des victimes, l'exhibition narcissique du narrateur obsédé par le désir d'écrire et de baiser, le rôle de psychopathe dévolu à Nathan, Juif absent d'Auschwitz et incon-

solable de cette absence, incarnant la conscience tortu-
rée de l'homme contemporain, tout cet agencement
narratif sombre dans le marais d'où émerge, en une
affreuse conjonction emblématique, l'image du *schlong*
de Stingo (« Parfois on dit une bitte, chuchotai-je. Plus
au nord, dans certains coins, ils disent une trique, ou
un engin. Ou une pine ») et du râtelier de Sophie.
L'absolu de la vulgarité barbare travaille à ce point la
fiction qu'elle aboutit à un désastre littéraire et en quelque sorte métaphysique. Même malaise, même avilissement, même naufrage à la vision d'un film comme
Portier de nuit, de Liliana Cavani — quelles que soient
les intentions de l'artiste. Car là-dessus on ne peut pas
faire de l'art. Faut-il donc être juif pour s'en aviser ?
Est-ce à cette prise de conscience qu'on se vit juif ?

Ce tabou, ce mixte de sacré et d'interdit, *Shoah* peut
l'affronter sans l'enfreindre. J'ai failli crier dans la salle
où nous étions une trentaine à assister à la projection
du film de Claude Lanzmann. Le cri a fusé d'une autre
gorge, lors de la séquence de Abraham Bomba. Le voilà
redevenu coiffeur, il est filmé coiffant en Israël et il se
raconte coiffant à Treblinka. C'est cette torsion, cet
écartèlement qui sont rendus visibles à l'écran. Les syn-
copes hachent le récit. La perte de parole, la montée
des larmes, l'homme funambule au-dessus du gouffre
qui s'ouvre en lui-même, déchire sa chronologie et son
être mis à nu, écorché vif, pendant qu'il coupe les
cheveux mécaniquement, et ne coupe pas. Et Lanzmann
le traque, le torture, tortionnaire pour lui ravir son
secret innomable : « Continuez, Abe. Vous le devez...
Il le faut. Je vous en prie, nous devons le faire. Vous
le savez... Il le faut. Je sais que c'est très dur, je le sais,
pardonnez-moi... » Ce rescapé meurt, n'en finit pas de
mourir, son agonie, ce traitement, cette mise à la ques-

tion deviennent un enjeu capital pour la suite des siè-cles, il le faut, et c'est alors que dans le noir quelqu'un hurle « Assez ! ». Plus un souffle. Au bout du rouleau. Et en même temps on se dit « À quoi bon ? » Car enfin, dans ce film, deux bourreaux des camps crachent le morceau, et on veut croire que ces aveux réduiront au silence les négateurs de l'Histoire, mais non, ils persis-tent et signent, puisque c'est un des clichés à la mode. Et même, au micro de RTL, le dimanche 13 septembre 1987, un candidat à la présidence de la République française pourra réduire les chambres à gaz à « un point de détail de l'histoire de la deuxième guerre mondiale ». Donc, quand tous les témoins directs auront disparu, que restera-t-il de ce point de détail ? Une illusion sans avenir ni passé ? C'est jusqu'à notre mémoire qui sera orpheline. Il ne nous reste que notre entêtement contre cette négation. Chez certains d'entre nous, il n'y a plus que cela de juif. Cela, ces mots contre le déni du géno-cide. Et, contre sa répétition, Israël, notre Assurance-Survie.

Nos lectures affectent nos vies : en se recoupant, elles se dotent d'une réciproque identification. Rédigeant ce récit, j'espérais découvrir dans les livres le mot de l'énigme juive ; ce que c'est de l'être ; le pourquoi et le comment de cet être persécuté, survivant, indestructi-ble. J'écris, et sur mon bureau, à droite de la machine, la pile des ouvrages ne diminue pas, ils attendent ma visite, un pan du mystère gît entre leurs pages : *L'Alle-magne nazie et le génocide juif, Le sang du ciel, Naître coupable naître victime, Autour d'un effort de mé-moire, Si c'est un homme...* S'il s'agit de mettre au jour une solution, je sais d'avance la vanité de cette investi-gation. S'il s'agit de nourrir une fièvre, d'accord pour cet embarquement et maintenir le cap sur l'inaccessible paix.

Le grand choc fut, en ce temps, la chute parmi nous de cette sidérante météorite, les nouvelles du *Royaume juif*, d'un auteur inconnu, Lamed Shapiro, émigré d'Ukraine aux Etats-Unis, écrivant en yiddish, et mort irréconcilié. Eclats de textes, blocs erratiques d'une douleur sans remède, deuil effondrant, noirceur absolue : la beauté littéraire unie au pire effroi. Claude Lanzmann m'invita à en rendre compte dans *Les Temps Modernes*. Pour rédiger ma recension, intitulée « Le pogromiste et son double », je convoquai certains de mes guides spirituels, comme s'il m'était impossible d'affronter seul un monstre surgi de nos enfers intimes, et j'extirpai de moi un texte dont je ne puis que recopier ici le premier paragraphe, qui, condensant un itinéraire d'explorations et d'inquiétudes, donne le ton de ce syndrome d'une hantise :

« *L'antisémitisme est une grave offense à l'homme en général*. Ainsi s'exprime, dans *L'Imprescriptible*, Vladimir Jankélévitch. Pour lui, impossible de pardonner cette atteinte à l'être de l'homme. J'ajoute : la compromission absolue où Auschwitz entraîne l'humanité était en germe dans les pogromes. Une scène de *La croix*, nouvelle centrale du livre de Lamed Shapiro, *Le Royaume juif*, l'atteste avec la violence d'un art à la fois hyperréaliste et visionnaire. Un jeune chrétien, qui vient de fendre, d'un coup de hache, le crâne d'un vieux juif, se trouve à son tour traqué par un jeune juif armé. Les voilà au fond d'une cour, sous les yeux du narrateur : « Le jeune homme se tenait tout près de lui, le révolver dans sa main levée, mais son visage était encore plus pâle qu'avant. Il a regardé la terreur intense qui agitait ce jeune corps, il a regardé un instant, puis a tourné le révolver contre sa propre tête et a tiré ». Le suicide du jeune juif tout près de basculer dans le meurtre, la folie du bourreau devenu victime, le rire atroce du témoin juif : c'est l'enfer du pogrome. Lamed Shapiro saisit et fixe à jamais cette irréparable perte de « l'humain de tout l'homme », comme dit encore le philosophe. Le livre de Lamed Shapiro (...) fait retentir une voix d'une puissance proprement inouïe, comme une machine explosive à retardement ; quand la stupeur se dissipe, on s'aperçoit que, dans la confusion des valeurs de ce siècle, il n'y a pas de rescapé (...) ».

Excellente nouvelle : le pogrome n'était que le début du programme ! Il s'ensuit une épouvantable Apocalypse que le lecteur tente d'apprivoiser en dressant entre lui, Juif « orphelin du judaïsme » (selon l'expression de Henri Raczymow), et ces décombres d'avant-crématoire, une ligne de défense composée d'illustres alliés Gentils. Voici Cioran qui scrute, dans *La tentation d'exister*, l'identité de ce « peuple de solitaires » qui a en charge « le fardeau d'un lourd secret » — mais lequel ? Voici les *Souvenirs de Pologne*, de Witold Gombrowicz, lui aussi hanté par ce « peuple tragique » — mais pourquoi, au bout du compte, cette tragédie ? J'ai beau les appeler à la rescousse, ces grands et chers esprits, peine perdue : dans notre « royaume juif », les trains fous ne cessent froidement de nous emporter vers le lieu ineffable de l'impossible, et durant cette course comme dans ces lectures il n'y a pas de récréation. Ce n'est pas une récréation que d'écrire là-dessus. On reste l'otage de son secret, de sa tragédie. On s'approche d'un centre désaxé, d'un feu central à l'extrême de son noyau dense, on a le nœud autour du cou : *on brûle.*

Juif, le suis-je lorsque j'écris ? En quoi cela consiste-t-il de l'être alors ? Que signifie d'écrire en tant que Juif ? Comment s'exprime, se manifeste l'être juif ? Si j'adhère à la Licra pour recevoir *Le droit de vivre*, puis-je affirmer que j'adhère à l'écriture pour avoir le droit d'être juif ? Ou s'agit-il du phénomène inverse : j'adhère à la judéité pour écrire ? Les réponses sont-elles dans les questions ? Ces bribes d'histoire non juive d'un Juif sans judaïsme cimentent-elles une identité atypique ? Une mémoire sans passé a-t-elle un sens ?

« Ecriture juive ? » s'interrogeait naguère la revue *Traces*. Je dirai, fragmentairement, qu'il existe, pour *des* Juifs dont je suis, une certaine façon de considérer l'écriture : être, même de loin et approximativement, membre du peuple du Livre se scelle d'un cachet singulier, indéchiffrable sans doute. Il y a, pour le moins, un imaginaire juif, « un autre imaginaire », disait Clara Malraux. On le trouve à l'œuvre chez Kafka, Singer, Canetti, Bellow, Heller, Roth, et, pourquoi pas, chez des goyim tels Flaubert (que Kafka admirait tant), Joyce ou Musil, dont il faudrait étudier la relation quasi mystique avec l'écrire. Unifiant le paradigme, je nommerai aussi et surtout Montaigne et Proust.

Nanti de telles idoles, me regarderai-je comme un écrivain juif de langue française ? Certainement pas. Plutôt comme un écrivain français d'appartenance et de sensibilité juives, en fonction de signaux émanant de ma préhistoire familiale, de tels événements de mon enfance, de l'appréhension de ma personne par autrui — des actions de l'Histoire.

Au fond, l'idéal consisterait en la coexistence, à travers soi, des qualités de Franz Kafka et de Woody Allen. Tonifiante perspective : parcourir en leur compagnie le pont qui mène de Prague à Manhattan. Ces deux souverains de notre mythologie esthétique nous conduisent dans le domaine enchanté du si essentiellement juif que leur génie se passe aisément de toute étiquette, sauf celle de l'universel.

1987. Année chavirante, navrante. Plus moyen d'éluder ou de jurer que je suis juif, c'est-à-dire cela que les autres disent que je suis et cela que je devine que je suis — sans autre preuve. Tout m'y ramène par les rouages en prise du réel et du récit.

La France juge Klaus Barbie et on se rassure avec l'idée que l'Europe des démocraties fera rempart contre la recrudescence des épidémies toujours prêtes à décimer les nôtres, qui sont aussi les vôtres à vous tous. Exemple criant : à l'occasion de ce procès, un tract anonyme circule, dont je me rends compte aussitôt du tort qu'il me cause, de la blessure qu'il m'inflige si je m'obstine à le lire dans son intégralité : « Les vendeurs d'Holocauste-Shoah », « holocause toujours, tu m'intéresses » : la vulgarité en plein travail. Ce tract est expédié par la poste aux délégués des élèves de notre établissement. En toute bonne foi, à des fins purement pédagogiques, le proviseur leur en donne connaissance tout en en dénonçant l'ordurière infamie. Ses intentions sont mal comprises et il en résulte un scandale que des parents et un journal attisent avec quelque abus. Est-ce ce sentiment d'un abus qui inspire à quelqu'un de ma familiarité cette sentence : « Ce sont les Juifs qui gouvernent le pays », corrigée tout de suite en : « Ce sont les Juifs qui gouvernent Voltaire ? » C'est encore trop, bien entendu : il n'y a plus de familiarité. Avec trois collègues, nous entreprenons une démarche auprès de notre député, Georges Sarre. Nous parvient, en date du 10 juin, le texte de sa question écrite au ministre de l'Education nationale, dont il attire l'attention « sur l'envoi anonyme à plusieurs établissements scolaires de tracts antisémites, niant l'holocauste » et à qui il « demande s'il compte informer rapidement les enseignants et les chefs d'établissements de ces menées et les appeler à la plus grande vigilance devant ces tentatives, organisées par un petit groupe fasciste, de diffuser une propagande nazie dans les écoles ». Soit. Autour du procès, Jacques Chirac, Premier Ministre, avait recommandé, par directive aux professeurs d'histoire, de procéder à une leçon sur le nazisme. Soit. Mais je ne puis m'empêcher de me dire, horrifié : nous en sommes donc encore et toujours là ? Le vers d'André Spire me revient à nouveau en mémoire : « Que faire dans un monde pareil ? ».

Le jour du grand Pardon, dans la soirée, l'agnostique que je suis s'est rendu à la synagogue de la rue Buffault, dans le neuvième arrondissement de Paris, afin d'entendre la sonnerie du schofar clore le rituel qui a traversé les siècles et la persécution. Des garçons et des filles étaient postés aux grilles, arborant leur badge avec la mention « sécurité ». J'aperçus un agent, qui bavardait. Cela fit naître une réminiscence des temps où, déjà né, j'ignorais tout du drame : la rafle du Vel'd'Hiv', et le sauvetage de Français juifs par des policiers intimement rebelles à Vichy. La cohue était telle que je n'ai pu entrer dans le sanctuaire ; nous stationnâmes nombreux dans le hall. La portion de rue interdite aux voitures était comble. Sous l'effet du jeûne et de la presse, des femmes et des enfants s'étaient évanouis. On fixait la pendule, le cadran des montres. 7h 8mn : l'heure fatidique. A la fin, les familles se groupent sous le talith, le châle de prière, et les têtes s'inclinent, se réunissent.

Quatre jeunes gens me firent signe et le tissu recouvrit mes cheveux, où je vérifiais de temps à autre le maintien de ma kipa. Ce moutonnement des étoffes blanches, ce silence peu à peu étendu et à peine déchiré par les pleurs des bébés, le son grêle de la trompe, les embrassades familiales : extraordinaire euphorie, qui soude un instant des étrangers que relie seulement un fil invisible, persistant à travers les âges, en deçà de toute analyse, incassable. Cette minute vaut en certitudes toutes les controverses et affrontements avec les porteurs du virus archaïque de la haine. En face des faussaires et des négateurs, compte seul, alors, le sentiment d'appartenance à une mémoire, plus durable que leur violence. Issu d'Auschwitz, Israël a son lieu et sa force et sa Diaspora indéfectible. Je m'enfonçai heureux dans la nuit fraîche.

La relation des rêves passe pour un luxe du récit. Je ne m'en priverai pas. Il s'agit de deux cauchemars, qui troublèrent mes nuits en janvier, alors que les effets de l'anesthésie, consécutifs à une intervention chirurgicale, se faisaient encore sentir. Ils eurent lieu l'avant-veille et la veille de ma sortie de l'hôpital, au seuil de cette entreprise narrative. Je les livre comme symptômes d'un état d'esprit en 1987. Extrapole qui sait. Ils balisent ma tendance à l'effusion. Ils traînent dans leur sillage l'écume d'une époque, les débris de ce chagrin, de cette pitié qu'un film charria devant nous alors que s'achevait notre jeunesse, épiant l'ombre d'une voix, celle de Pierre Mendès France. Nous sommes assez désillusionnés pour nous souvenir des pièges que de telles épaves recèlent.

Nuit du 26 janvier, hôpital Bichat.

Vacances à Noirmoutier avec toute ma belle-famille. Mon épouse me gronde parce que j'ai omis de saluer un de ses frères. Soudain des nuées s'élèvent en colonnes noires vers le ciel, cela gagne très vite, le mot « raz de marée » traverse ma conscience, les gens au bord de la mer commencent à refluer. Je cherche ma femme et ma fille, je crie G., je crie D., je cours avec tous, je cherche G. et D., nulle part. Le ciel s'assombrit, d'immenses vagues déferlent sur l'île, ça dure. Et puis il y a des porte-avions, on évacue, et je tombe sur elles deux, et je leur dis « Vite, vite, on évacue ». Je nous vois vivre un film catastrophe, j'ai peur de perdre G. et D., « vite, vite », rafales de mer qui déferlent pleines de noirceur, nous escaladons une rampe vers un bateau, et je m'éveille en sueur, une lueur filtre sous la porte, je me calme, aspirant à ma famille, à ma maison.

Nuit suivante et dernière à l'hôpital.

J'étais dans un lieu avec des gens et en voulant partir je ne trouvais plus ma veste ni mon manteau, je me souvenais de les avoir pliés, j'avais peur d'avoir perdu mes papiers d'identité.

Le suis-je? Je ne le suis pas? Je le suis? La spirale des questions m'en avertit: il est temps que je boucle ce récit à double tour. Un tour, et j'écoute me faire mal les mots que me rapporte ce soir la femme de ma vie, les tenant d'une nouvelle collègue qui vient de s'entendre dire par son ex-patron, en guise d'au revoir: « Tu n'as pas peur de te salir les mains en travaillant avec *eux* ? » Un tour encore, et c'est mon salut à Joseph (ex-Iossip) Brodski, couronné prix Nobel de littérature. A l'heure où, fût-ce du sein de la charité, des prières impies accablent le lieu absolu de la Catastrophe, je relis, dans la traduction de mon ami Jean-Jacques Marie (par qui mon *Soleil* parvint à Maurice Nadeau), le poème qu'il consacre au « cimetière juif près de Léningrad » et à ses pauvres locataires, étendus là

« Sans rien se rappeler
Sans rien oublier ».

TABLE

Achevé d'imprimer en novembre 1990
sur les presses de l'imprimerie
Campin — Tournai (Belgique)

Dépôt légal : janvier 1991
ISBN 2-903702-37-3
Première édition
Numéro d'éditeur : C9032